SETTIMANA SANTA

SETTIMANA SANTA

Riti e liturgia delle Ore

EDIZIONI
MESSAGGERO
PADOVA

1ª edizione a cura di
FAUSTO CASA

5ª edizione 2024 a cura di
DAMIANO PASSARIN

Per i testi biblici tratti dal *Lezionario Feriale* e dal *Lezionario Domenicale e Festivo* nella versione ufficiale a cura della Conferenza Episcopale Italiana © 2008 Fondazione di Religione Santi Francesco d'Assisi e Caterina da Siena, Roma.

Per i testi liturgici tratti dal *Messale Romano,* terza edizione © 2020 Fondazione di Religione Santi Francesco d'Assisi e Caterina da Siena, Roma.

Imprimatur
Padova, 29 gennaio 2008
Onello Paolo Doni, *Vic. Gen.*

ISBN 978-88-250-5878-9

Copyright © 2024 by P.I.S.A.P. F.M.C.
MESSAGGERO DI SANT'ANTONIO – EDITRICE
Basilica del Santo - Via Orto Botanico, 11 - 35123 Padova
www.edizionimessaggero.it

INTRODUZIONE

Il presente sussidio, giunto ormai alla sua quinta edizione, riporta tutte le celebrazioni eucaristiche e tutti i riti liturgici della Settimana santa, dal grande portale di ingresso della domenica delle Palme fino ai Vespri della domenica di Risurrezione. I testi delle orazioni, delle antifone e delle letture corrispondono a quelli del Messale romano e del Lezionario festivo e feriale nelle loro rispettive ultime edizioni ufficiali del 2020 e 2008. Vengono inoltre riportati l'Ufficio delle letture, le Lodi mattutine e i Vespri del triduo pasquale, per maggiore comodità dei singoli fedeli, delle famiglie e di altri gruppi parrocchiali che desiderano celebrare con frutto e accedere alla grande ricchezza spirituale ivi contenuta.

È un sussidio liturgico valido per la Settimana santa di ogni anno, poiché riporta per esteso anche tutte le varianti delle letture dei tre cicli festivi. È una disposizione che facilita coloro che si dimenticano, o non sanno, quale sia l'anno in corso: basta girare qualche pagina anziché ricorrere all'indice o, addirittura, cambiare libretto. Utile è anche l'aver riportato i testi alternativi che si possono scegliere e così pure, per la liturgia delle Ore, i titoli salmici e poche righe di commento.

Siamo certi che questo sussidio sarà un efficace aiuto per i fedeli che desiderano partecipare attivamente alle celebrazioni liturgiche di questi giorni, nei quali i discepoli di Cristo avvertono il bisogno profondo di meditare e rivivere i misteri della salvezza.

Siamo persuasi anche che i parroci sapranno intercettare questo bisogno e indirizzarlo con sapienza alla fonte più genuina di ogni spiritualità: la liturgia celebrata e vissuta. Per questo siamo convinti che continuerà l'apprezzamento, soprattutto da parte loro, di questo sussidio giunto ormai alla sua quarta edizione.

La Settimana santa

La Settimana santa è il centro, il fulcro di tutto l'anno liturgico: in essa, più che in ogni altro tempo, l'anima cristiana attinge alla sorgente stessa della salvezza e raccoglie in abbondanza i frutti della redenzione. La liturgia ci ha lungamente preparati, durante la Quaresima, a questi santi giorni. Ora il nostro animo è in grado di cogliere la realtà racchiusa nei segni e nei simboli, disponendosi a vivere intensamente il mistero pasquale.

Domenica delle Palme

La domenica delle Palme (o «della passione del Signore») è l'introduzione necessaria alla celebrazione del mistero della redenzione. In questo giorno la liturgia prende le mosse dalla benedizione e processione delle palme. Così, contemplando in anticipo il Salvatore nella gloria pasquale ed eterna, noi riusciamo a comprendere il suo abbassamento fino all'umiliazione estrema della morte di croce e ad accettare, a nostra volta, di bere anche noi il calice della passione.

Primi giorni della Settimana santa

Nei primi giorni della Settimana santa (dal lunedì fino alla messa in cena Domini *del giovedì esclusa) ci incontriamo con il mistero della salvezza visto nei suoi aspetti più terribili: il peccato e le sue conseguenze, il tradimento degli uomini, l'infinita pazienza e bontà di Dio.*

Sono i giorni della tristezza: nessuna voce di gaudio prorompe dalla liturgia: i testi della messa e dell'ufficio presentano i brani più eloquenti sulle sofferenze del Redentore; antifone, canti e preghiere si ispirano ai medesimi temi. Sono i giorni della passione, della tristezza e dell'amarezza di Cristo e devono essere anche i giorni della nostra amarezza, del pentimento e dell'espiazione.

Sacro triduo pasquale

Dalla sera del giovedì santo (con la messa in cena Domini) alla sera della domenica di Risurrezione, la liturgia celebra il grande triduo pasquale. Esso costituisce il culmine dell'anno liturgico e forma una sola unità. È la commemorazione attuale, viva ed efficace della nostra redenzione che ha inizio dal Getsemani, passa per il Calvario-sepolcro, si compie con la gloriosa risurrezione: una sola e identica Pasqua!

Raccogliamo tutte le nostre forze per andare incontro a Cristo Signore e per vivere intensamente, giorno per giorno, il mistero della nostra salvezza. «Bisogna che le membra di Cristo – ci dice sant'Agostino – sostengano con lui la loro parte di dolori per godere con lui la loro parte di gloria».

RITI
E CELEBRAZIONI

SIGLE

A Altre persone
L Lettore
S Sacerdote
T Tutti
℣. Versetto
℟. Risposta
✠ Sacerdote

DOMENICA DELLE PALME
PASSIONE DEL SIGNORE

La domenica delle Palme inaugura la settimana «santa» per eccellenza, la principale di tutto l'anno liturgico. Cristo Signore, il «servo sofferente» preannunciato dai profeti antichi (I lettura), con il suo sacrificio di redenzione ha glorificato il Padre e ha salvato tutti gli uomini con la sua morte in croce (II lettura).
Il rito, con la processione delle palme, commemora l'ingresso glorioso di Gesù in Gerusalemme. Subito dopo, durante la messa, la liturgia ci fa leggere il racconto doloroso della passione, nella quale si manifesta in tutta la sua estensione l'amore di Dio per noi.

COMMEMORAZIONE DELL'INGRESSO DEL SIGNORE IN GERUSALEMME

Il sacerdote e i ministri si recano al luogo dove sono radunati i fedeli. Tutti portano in mano i rami di ulivo o di palma. Si canta l'antifona seguente o un altro canto adatto.

Antifona

Osanna al Figlio di Davide. Benedetto colui che viene nel nome del Signore, il Re d'Israele! Osanna nell'alto dei cieli!

Il sacerdote, dopo il consueto saluto ai fedeli, rivolge loro una breve esortazione.

Fratelli e sorelle, fin dall'inizio della Quaresima abbiamo cominciato a preparare i nostri cuori attraverso la penitenza e le opere di carità. Oggi siamo qui radunati affinché con tutta la Chiesa possiamo essere introdotti al mistero pasquale del nostro Signore Gesu Cristo, il quale, per dare reale compimento alla propria passione e risurrezione, entrò nella sua citta, Gerusalemme. Seguiamo perciò il Signore, facendo memoria del suo ingresso salvifico con fede e devozione, affinché, resi partecipi per grazia del mistero della croce, possiamo aver parte alla risurrezione e alla vita eterna.

Poi il sacerdote dice a mani giunte una delle seguenti orazioni:

Preghiamo. Dio onnipotente ed eterno, benedici ✠ questi rami [di ulivo], e concedi a noi tuoi fedeli, che seguiamo esultanti Cristo, nostro Re e Signore, di giungere con lui alla Gerusalemme del cielo. Egli vive e regna nei secoli dei secoli.
℟. **Amen.**

Oppure:

Preghiamo. Accresci, o Dio, la fede di chi spera in te e concedi a noi tuoi fedeli, che oggi innalziamo questi rami in onore di Cristo trionfante, di rimanere uniti a lui, per portare frutti di opere buone. Per Cristo nostro Signore.
℟. **Amen.**

E senza nulla dire, asperge i rami con l'acqua benedetta. Quindi il diacono o, in sua assenza, il sacerdote proclama il brano evangelico.

Vangelo

Secondo le norme liturgiche, il racconto dell'ingresso di Gesù a Gerusalemme, nella versione dei quattro evangelisti, si legge in questo ordine: nell'anno A, il brano di Matteo; nell'anno B, il brano di Marco o di Giovanni; nell'anno C, il brano di Luca.

ANNO A
Benedetto colui che viene nel nome del Signore.

Nell'ingresso messianico a Gerusalemme, Matteo sottolinea la regalità di Gesù. Tuttavia Gesù entra nella città non in forma trionfalistica, ma in atteggiamento umile, cavalcando un asinello, poiché così era stato predetto dalla Scrittura.

✠ **Dal Vangelo secondo Matteo** (21,1-11)

Quando furono vicini a Gerusalemme e giunsero presso Bètfage, verso il monte degli Ulivi, Gesù mandò due discepoli, dicendo loro: «Andate nel villaggio di fronte a voi e subito troverete un'asina, legata, e con essa un puledro. Slegateli e conduceteli da me. E se qualcuno vi dirà qualcosa, rispondete: "Il Signore ne ha bisogno, ma li rimanderà indietro subito"». Ora questo avvenne perché si compisse ciò che era stato detto per mezzo del profeta: «Dite alla figlia di Sion: "Ecco, a te viene il tuo re, mite, seduto su un'asina e su un puledro, figlio di una bestia da soma"».
I discepoli andarono e fecero quello che aveva ordinato loro Gesù: condussero l'asina e il puledro, misero su di essi i mantelli ed egli vi si pose a sedere. La folla, numerosissima, stese i propri mantelli sulla strada, mentre altri tagliavano rami dagli alberi e li stendevano sulla strada. La folla che lo precedeva e quella che lo seguiva, gridava: «Osanna al figlio di Davide! Benedetto colui che viene nel nome del Signore! Osanna nel più alto dei cieli!».
Mentre egli entrava in Gerusalemme, tutta la città fu presa da agitazione e diceva: «Chi è costui?». E la folla rispondeva: «Questi è il profeta Gesù, da Nàzaret di Galilea».

— Parola del Signore.
℟. **Lode a te, o Cristo.**

Benedetto colui che viene nel nome del Signore.

L'ingresso di Gesù a Gerusalemme è la manifestazione aperta della sua messianicità. Egli però non è il Messia politico atteso dai giudei, ma il principe della pace, mansueto e umile, venuto per riformare il cuore e la mente degli uomini.

✠ **Dal Vangelo secondo Marco**   (11,1-10)

Quando furono vicini a Gerusalemme, verso Bètfage e Betània, presso il monte degli Ulivi, Gesù mandò due dei suoi discepoli e disse loro: «Andate nel villaggio di fronte a voi e subito, entrando in esso, troverete un puledro legato, sul quale nessuno è ancora salito. Slegatelo e portatelo qui. E se qualcuno vi dirà: "Perché fate questo?", rispondete: "Il Signore ne ha bisogno, ma lo rimanderà qui subito"».
Andarono e trovarono un puledro legato vicino a una porta, fuori sulla strada, e lo slegarono. Alcuni dei presenti dissero loro: «Perché slegate questo puledro?». Ed essi risposero loro come aveva detto Gesù. E li lasciarono fare.
Portarono il puledro da Gesù, vi gettarono sopra i loro mantelli ed egli vi salì sopra. Molti stendevano i propri mantelli sulla strada, altri invece delle fronde, tagliate nei campi. Quelli che precedevano e quelli che seguivano, gridavano: «Osanna! Benedetto colui che viene nel nome del Signore! Benedetto il Regno che viene, del nostro padre Davide! Osanna nel più alto dei cieli!».
— Parola del Signore.
℟. **Lode a te, o Cristo.**

Oppure:

✠ **Dal Vangelo secondo Giovanni** (12,12-16)

In quel tempo, la grande folla che era venuta per la festa, udito che Gesù veniva a Gerusalemme, prese dei rami di palme e uscì incontro a lui gridando: «Osanna! Benedetto colui che viene nel nome del Signore, il re d'Israele!».
Gesù, trovato un asinello, vi montò sopra, come sta scritto: «Non temere, figlia di Sion! Ecco, il tuo re viene, seduto su un puledro d'asina».
I suoi discepoli sul momento non compresero queste cose; ma, quando Gesù fu glorificato, si ricordarono che di lui erano state scritte queste cose e che a lui essi le avevano fatte.
— Parola del Signore.
℟. **Lode a te, o Cristo.**

Anno C

Benedetto colui che viene nel nome del Signore.

Come il popolo di Gerusalemme, anche noi acclamiamo gioiosi Gesù: egli è il Signore, l'inviato del Padre, la nostra guida e il nostro pastore.

✠ **Dal Vangelo secondo Luca** (19,28-40)

In quel tempo, Gesù camminava davanti a tutti salendo verso Gerusalemme. Quando fu vicino a Bètfage e a Betània, presso il monte detto degli Ulivi, inviò due discepoli dicendo: «Andate nel villaggio di fronte; entrando, troverete un puledro legato, sul quale non è mai salito nessuno. Slegatelo e conducetelo qui. E se qualcuno vi domanda: "Perché lo slegate?", risponderete così: "Il Signore ne ha bisogno"».
Gli inviati andarono e trovarono come aveva loro

detto. Mentre slegavano il puledro, i proprietari dissero loro: «Perché slegate il puledro?». Essi risposero: «Il Signore ne ha bisogno». Lo condussero allora da Gesù; e gettati i loro mantelli sul puledro, vi fecero salire Gesù. Mentre egli avanzava, stendevano i loro mantelli sulla strada.

Era ormai vicino alla discesa del monte degli Ulivi, quando tutta la folla dei discepoli, pieni di gioia, cominciò a lodare Dio a gran voce per tutti i prodigi che avevano veduto, dicendo: «Benedetto colui che viene, il re, nel nome del Signore. Pace in cielo e gloria nel più alto dei cieli!».

Alcuni farisei tra la folla gli dissero: «Maestro, rimprovera i tuoi discepoli». Ma egli rispose: «Io vi dico che, se questi taceranno, grideranno le pietre».

— Parola del Signore.

℞. **Lode a te, o Cristo.**

Il sacerdote, o un altro ministro, dà l'avvio alla processione:

Imitiamo, fratelli e sorelle, le folle che acclamavano Gesù, e procediamo in pace.

Oppure:

Procediamo in pace.

℞. **Nel nome di Cristo. Amen.**

Durante la processione si eseguono i salmi e inni seguenti o altri adatti.

Antifona (*Pueri Hebraeorum*, cf. p. 281)

Le folle degli Ebrei, portando rami d'ulivo, andavano incontro al Signore e acclamavano a gran voce: Osanna nell'alto dei cieli.

Questa antifona si può alternare con i versetti del salmo seguente:

Salmo 23

Del Signore è la terra e quanto contiene:
il mondo, con i suoi abitanti.
È lui che l'ha fondato sui mari
e sui fiumi l'ha stabilito.

Chi potrà salire il monte del Signore?
Chi potrà stare nel suo luogo santo?
Chi ha mani innocenti e cuore puro,
chi non si rivolge agli idoli,
chi non giura con inganno.

Egli otterrà benedizione dal Signore,
giustizia da Dio sua salvezza.
Ecco la generazione che lo cerca,
che cerca il tuo volto, Dio di Giacobbe.

Alzate, o porte, i vostri frontali,
alzatevi, soglie antiche,
ed entri il re della gloria.
Chi è questo re della gloria?
Il Signore forte e valoroso,
il Signore valoroso in battaglia.

Alzate, o porte, i vostri frontali,
alzatevi, soglie antiche,
ed entri il re della gloria.
Chi è mai questo re della gloria?
Il Signore degli eserciti è il re della gloria.

Antifona

Le folle degli Ebrei stendevano mantelli sulla
strada, e a gran voce acclamavano: Osanna al Figlio di Davide. Benedetto colui che viene nel nome del Signore.

Questa antifona si può alternare con i versetti del salmo seguente:

Salmo 46

Popoli tutti, battete le mani!
Acclamate Dio con grida di gioia,
perché terribile è il Signore, l'Altissimo,
re grande su tutta la terra.

Egli ci ha sottomesso i popoli,
sotto i nostri piedi ha posto le nazioni.
Ha scelto per noi la nostra eredità,
orgoglio di Giacobbe che egli ama.
Ascende Dio tra le acclamazioni,
il Signore al suono di tromba.

Cantate inni a Dio, cantate inni,
cantate inni al nostro re, cantate inni;
perché Dio è re di tutta la terra,
cantate inni con arte.

Dio regna sulle genti,
Dio siede sul suo trono santo.
I capi dei popoli si sono raccolti
come popolo del Dio di Abramo.
Sì, a Dio appartengono i poteri della terra:
egli è eccelso.

Inno a Cristo re

Cantori: A te la lode e il canto, o Cristo, redentore:
l'osanna dei fanciulli ti onora, re di Sion.

Tutti: **A te la lode e il canto, o Cristo, redentore:
l'osanna dei fanciulli ti onora, re di Sion.**

(da ripetere dopo ogni strofa).

Tu sei il grande re d'Israele, il Figlio e la stirpe di David, il re benedetto che viene nel nome del Signore.

Il coro degli angeli in cielo ti loda e ti canta in eterno: gli uomini e tutto il creato inneggiano al tuo nome.

Il popolo santo di Dio stendeva al tuo passo le palme: noi oggi veniamo a te incontro con cantici e preghiere.

A te che salivi alla morte levavano un canto di lode; a te, nostro re vittorioso, s'innalza il canto nuovo.

Quei canti ti furono accetti: le nostre preghiere ora accogli, re buono e clemente che ami qualsiasi cosa buona.

Mentre la processione entra in chiesa, si canta il seguente responsorio, o un altro canto che si riferisca all'ingresso del Signore:

Responsorio   (Gv 12,13; Mc 11,10)

℣. Mentre il Cristo entrava nella città santa,
la folla degli Ebrei,
preannunciando la risurrezione
del Signore della vita,

℟. *agitava rami di palma e acclamava:*
Osanna nell'alto dei cieli.

℣. Quando fu annunciato
che Gesù veniva a Gerusalemme,
il popolo uscì per andargli incontro;

℟. *agitava rami di palma e acclamava:*
Osanna nell'alto dei cieli.

Giunto all'altare, tralasciando gli abituali riti di introduzione il sacerdote dice la colletta della messa. Si prosegue poi con la liturgia della Parola.

MESSA

Se non è possibile fare la processione fuori della chiesa, l'entrata del Signore si celebra all'interno in due modi a scelta.

1. Ingresso solenne. *I fedeli, con in mano i rami d'ulivo o di palma, si radunano o alla porta o all'interno della chiesa. Il sacerdote, i ministri e una rappresentanza di fedeli si recano nel luogo più adatto della chiesa, fuori dal presbiterio, dove almeno la maggior parte dei presenti possano vedere lo svolgimento del rito. Mentre il sacerdote si avvia, si canta l'antifona* Osanna *(cf. p. 11) o un altro canto adatto. Quindi si benedicono i rami e si proclama il Vangelo dell'ingresso del Signore in Gerusalemme (cf. pp. 13-16). Poi il sacerdote, i ministri e il piccolo gruppo di fedeli, attraversando la chiesa, si recano processionalmente in presbiterio; intanto si canta il responsorio* Mentre il Cristo entrava *(cf. p. 19) o un altro canto adatto. Giunto all'altare, il sacerdote fa la debita riverenza, lo bacia e si reca alla sede da dove dice la colletta della messa. Si prosegue poi con la prima lettura (cf. pp. 21ss.).*

2. Ingresso semplice. *In tutte le messe di questa domenica, eccettuata la messa principale, l'ingresso del Signore in Gerusalemme si commemora in forma semplice. Mentre il sacerdote si reca all'altare, si esegue l'antifona d'ingresso qui sotto riportata, o un altro canto sul medesimo tema. Giunto all'altare, il sacerdote fa la debita riverenza, lo bacia, si reca alla sede e rivolge il saluto al popolo. La messa continua poi nel modo consueto. Nelle messe in cui non è possibile eseguire il canto d'ingresso, il sacerdote, giunto all'altare, fa la debita riverenza, lo bacia, rivolge al popolo il saluto e legge l'antifona d'ingresso. La messa prosegue nel modo solito.*

Antifona d'ingresso

℣. Sei giorni prima
della festa solenne di Pasqua,
il Signore entrò in Gerusalemme.
I fanciulli gli andarono incontro
con rami di palma nelle mani.
A gran voce acclamavano:
℟. *Osanna nell'alto dei cieli.*
Benedetto tu che vieni
con l'immensa tua misericordia.

℣. Alzate, o porte, i vostri archi,
alzatevi, soglie antiche,
ed entri il re della gloria.
Chi è questo re della gloria?
Il Signore degli eserciti è il re della gloria.
℟. *Osanna nell'alto dei cieli.*
Benedetto tu che vieni
con l'immensa tua misericordia.

Colletta

Dio onnipotente ed eterno, che hai dato come
modello agli uomini il Cristo tuo Figlio, nostro
Salvatore, fatto uomo e umiliato fino alla morte
di croce, fa' che abbiamo sempre presente il grande insegnamento della sua passione, per partecipare alla gloria della risurrezione. Egli è Dio e
vive e regna con te...
℟. **Amen.**

Prima lettura

Non ho sottratto la faccia agli insulti e agli sputi, sapendo di non restare confuso.

Cristo, come «servo di Dio», si offre vittima per gli uomini.
Dio non lo abbandona, e gli accorda il trionfo.

Dal libro del profeta Isaìa   (50,4-7)

Il Signore Dio mi ha dato una lingua da discepolo, perché io sappia indirizzare una parola allo
sfiduciato.
Ogni mattina fa attento il mio orecchio perché io
ascolti come i discepoli. Il Signore Dio mi ha
aperto l'orecchio e io non ho opposto resistenza,
non mi sono tirato indietro.
Ho presentato il mio dorso ai flagellatori, le mie
guance a coloro che mi strappavano la barba; non
ho sottratto la faccia agli insulti e agli sputi.
Il Signore Dio mi assiste, per questo non resto
svergognato, per questo rendo la mia faccia dura
come pietra, sapendo di non restare confuso.
— Parola di Dio.
℟. **Rendiamo grazie a Dio.**

Salmo responsoriale   (dal Sal 21)

℟. *Dio mio, Dio mio,*
    perché mi hai abbandonato?

Si fanno beffe di me quelli che mi vedono,
storcono le labbra, scuotono il capo:
«Si rivolga al Signore; lui lo liberi,
lo porti in salvo, se davvero lo ama!».   ℟.

Un branco di cani mi circonda,
mi accerchia una banda di malfattori;
hanno scavato le mie mani e i miei piedi.
Posso contare tutte le mie ossa.   ℟.

Si dividono le mie vesti,
sulla mia tunica gettano la sorte.
Ma tu, Signore, non stare lontano,
mia forza, vieni presto in mio aiuto.   ℟.

Annuncerò il tuo nome ai miei fratelli,
ti loderò in mezzo all'assemblea.
Lodate il Signore, voi suoi fedeli,
gli dia gloria tutta la discendenza di Giacobbe,
lo tema tutta la discendenza d'Israele. ℟.

Seconda lettura

Cristo umiliò se stesso, per questo Dio lo esaltò.

Cristo ha voluto annientarsi rinunciando alle sue prerogative divine, rendendosi simile agli uomini. La partecipazione alle sue sofferenze è la premessa della nostra glorificazione.

Dalla lettera di san Paolo apostolo ai Filippesi

(2,6-11)

Cristo Gesù, pur essendo nella condizione di Dio, non ritenne un privilegio l'essere come Dio, ma svuotò se stesso assumendo una condizione di servo, diventando simile agli uomini. Dall'aspetto riconosciuto come uomo, umiliò se stesso facendosi obbediente fino alla morte e a una morte di croce. Per questo Dio lo esaltò e gli donò il nome che è al di sopra di ogni nome, perché nel nome di Gesù ogni ginocchio si pieghi nei cieli, sulla terra e sotto terra, e ogni lingua proclami: «Gesù Cristo è Signore!», a gloria di Dio Padre.
— Parola di Dio.
℟. **Rendiamo grazie a Dio.**

Canto al Vangelo

(Fil 2,8-9)

Lode e onore a te, Signore Gesù!
Per noi Cristo si è fatto obbediente fino alla morte e a una morte di croce. Per questo Dio lo esaltò e gli donò il nome che è al di sopra di ogni nome.
Lode e onore a te, Signore Gesù!

Vangelo

La passione del Signore.

La passione, la morte e la risurrezione di Gesù (cioè il mistero pasquale) costituiscono l'atto culminante della storia della salvezza, l'intervento definitivo di Dio per la redenzione del genere umano, la rivelazione del suo amore infinito. Per questi motivi il mistero pasquale è stato, fin dall'inizio, il nucleo centrale della predicazione apostolica. Nel racconto della passione, ognuno dei quattro evangelisti, pur nella sostanziale corrispondenza dei fatti, persegue una particolare prospettiva teologica e ha di mira un fine specifico di catechesi.

Il racconto di Matteo *è quasi un invito all'adorazione rivolto ai credenti. Presenta Gesù già compenetrato dalla luce pasquale. Pur nella sua sofferenza estrema, il Cristo domina gli eventi, è padrone del suo destino ed esplica una potenza che fa trapelare il suo essere divino. Sono proprie di Matteo alcune pericopi: suicidio di Giuda, sogno della moglie di Pilato, lavanda delle mani, terremoto con l'apparizione dei morti.*

Il racconto di Marco, *che riflette maggiormente le fonti più antiche, presenta la passione del Signore con una tonalità teologica caratteristica: Gesù è il «Servo di Dio» che angosciato va alla morte, in una solitudine estrema, spirando con un grido di abbandono sulle labbra. Eppure nella tragedia del Cristo è in opera l'onnipotenza di Dio per la salvezza del mondo.*

Il racconto di Luca *sottolinea, più degli altri evangelisti, l'innocenza e la mansuetudine di Gesù, vero modello dell'uomo sofferente. Anche nella lotta estrema contro Satana, particolarmente evidenziata in Luca (come in Giovanni), Gesù non appare isolato e muto nel suo dolore, ma è misericordiosamente proteso verso coloro che lo circondano. L'atteggiamento buono di Gesù verso le*

*pie donne e verso il ladrone pentito invita il lettore ad
avvicinarsi alla croce per partecipare alle sofferenze del
Salvatore, imitandone la pazienza e la mansuetudine.*

Giovanni, *nel dramma della passione, mette in luce la
gloria dell'unigenito Figlio di Dio. Egli sottolinea più
volte che Gesù va volontariamente incontro alla morte
per compiere la volontà del Padre. Anche sulla croce,
Gesù è il vincitore, perché la sua morte non segna la
sconfitta, ma la glorificazione alla destra del Padre. L'in-
nalzamento in croce coincide con l'elevazione del Cristo
nella gloria, mentre le sofferenze e la morte sono già
assorbite dallo splendore della luce pasquale.*

*Il racconto della passione si legge con il seguente ordine:
nell'anno A: Passione secondo Matteo; nell'anno B: Passione secondo Marco; nell'anno C: Passione secondo
Luca. La Passione secondo Giovanni si legge sempre,
ogni anno, nella liturgia del venerdì santo (cf. pp. 105-
113). Nella lettura dialogata si associano al sacerdote
che presiede (testi segnati con ✠) altri due lettori: il cronista narrante (L) e le altre voci (A).*

ANNO A

✠ **Passione di nostro Signore Gesù Cristo secon-
do Matteo**   (26,14-27,66)
℞. **Gloria a te, o Signore.**
La forma breve (27,11-54) incomincia a p. 32.

L In quel tempo, uno dei Dodici, chiamato Giuda
Iscariota, andò dai capi dei sacerdoti e disse:
A «Quanto volete darmi perché io ve lo conse-
gni?».
L E quelli gli fissarono trenta monete d'argento.
Da quel momento cercava l'occasione propizia
per consegnare Gesù.

Il primo giorno degli Àzzimi, i discepoli si avvicinarono a Gesù e gli dissero:

A «Dove vuoi che prepariamo per te, perché tu possa mangiare la Pasqua?».

L Ed egli rispose:

✠ «Andate in città da un tale e diteglì: "Il Maestro dice: Il mio tempo è vicino; farò la Pasqua da te con i miei discepoli"».

L I discepoli fecero come aveva loro ordinato Gesù, e prepararono la Pasqua.

Venuta la sera, si mise a tavola con i Dodici. Mentre mangiavano, disse:

✠ «In verità io vi dico: uno di voi mi tradirà».

L Ed essi, profondamente rattristati, cominciarono ciascuno a domandargli:

A «Sono forse io, Signore?».

L Ed egli rispose:

✠ «Colui che ha messo con me la mano nel piatto, è quello che mi tradirà. Il Figlio dell'uomo se ne va, come sta scritto di lui; ma guai a quell'uomo dal quale il Figlio dell'uomo viene tradito! Meglio per quell'uomo se non fosse mai nato!».

L Giuda, il traditore, disse:

A «Rabbì, sono forse io?».

L Gli rispose:

✠ «Tu l'hai detto».

L Ora, mentre mangiavano, Gesù prese il pane, recitò la benedizione, lo spezzò e, mentre lo dava ai discepoli, disse:

✠ «Prendete, mangiate: questo è il mio corpo».

L Poi prese il calice, rese grazie e lo diede loro, dicendo:

✠ «Bevetene tutti, perché questo è il mio sangue dell'alleanza, che è versato per molti per il perdono dei peccati. Io vi dico che d'ora in poi non berrò di questo frutto della vite fino al giorno in cui lo berrò nuovo con voi, nel regno del Padre mio».

L Dopo aver cantato l'inno, uscirono verso il monte degli Ulivi.

Allora Gesù disse loro:

✠ «Questa notte per tutti voi sarò motivo di scandalo. Sta scritto infatti: "Percuoterò il pastore e saranno disperse le pecore del gregge". Ma, dopo che sarò risorto, vi precederò in Galilea».

L Pietro gli disse:

A «Se tutti si scandalizzeranno di te, io non mi scandalizzerò mai».

L Gli disse Gesù:

✠ «In verità io ti dico: questa notte, prima che il gallo canti, tu mi rinnegherai tre volte».

L Pietro gli rispose:

A «Anche se dovessi morire con te, io non ti rinnegherò».

L Lo stesso dissero tutti i discepoli.

Allora Gesù andò con loro in un podere, chiamato Getsèmani, e disse ai discepoli:

✠ «Sedetevi qui, mentre io vado là a pregare».

L E, presi con sé Pietro e i due figli di Zebedeo, cominciò a provare tristezza e angoscia. E disse loro:

✠ «La mia anima è triste fino alla morte; restate qui e vegliate con me».

L Andò un poco più avanti, cadde faccia a terra e pregava, dicendo:

✠ «Padre mio, se è possibile, passi via da me questo calice! Però non come voglio io, ma come vuoi tu!».

L Poi venne dai discepoli e li trovò addormentati. E disse a Pietro:

✠ «Così, non siete stati capaci di vegliare con me una sola ora? Vegliate e pregate, per non entrare in tentazione. Lo spirito è pronto, ma la carne è debole».

L Si allontanò una seconda volta e pregò dicendo:

✠ «Padre mio, se questo calice non può passare via senza che io lo beva, si compia la tua volontà».

L Poi venne e li trovò di nuovo addormentati, perché i loro occhi si erano fatti pesanti. Li lasciò, si allontanò di nuovo e pregò per la terza volta, ripetendo le stesse parole. Poi si avvicinò ai discepoli e disse loro:

✠ «Dormite pure e riposatevi! Ecco, l'ora è vicina e il Figlio dell'uomo viene consegnato in mano ai peccatori. Alzatevi, andiamo! Ecco, colui che mi tradisce è vicino».

L Mentre ancora egli parlava, ecco arrivare Giuda, uno dei Dodici, e con lui una grande folla con spade e bastoni, mandata dai capi dei sacerdoti e dagli anziani del popolo. Il traditore aveva dato loro un segno, dicendo:

A «Quello che bacerò, è lui; arrestatelo!».

L Subito si avvicinò a Gesù e disse:

A «Salve, Rabbì!».

L E lo baciò. E Gesù gli disse:

✠ «Amico, per questo sei qui!».

L Allora si fecero avanti, misero le mani addosso a Gesù e lo arrestarono. Ed ecco, uno di quelli che erano con Gesù impugnò la spada, la estrasse e colpì il servo del sommo sacerdote, staccandogli un orecchio. Allora Gesù gli disse:

✠ «Rimetti la tua spada al suo posto, perché tutti quelli che prendono la spada, di spada moriranno. O credi che io non possa pregare il Padre mio, che metterebbe subito a mia disposizione più di dodici legioni di angeli? Ma allora come si compirebbero le Scritture, secondo le quali così deve avvenire?».

L In quello stesso momento Gesù disse alla folla:

✠ «Come se fossi un ladro siete venuti a prendermi con spade e bastoni. Ogni giorno sedevo nel tempio a insegnare, e non mi avete arrestato. Ma tutto questo è avvenuto perché si compissero le Scritture dei profeti».

L Allora tutti i discepoli lo abbandonarono e fuggirono.

Quelli che avevano arrestato Gesù lo condussero dal sommo sacerdote Caifa, presso il quale si erano riuniti gli scribi e gli anziani. Pietro intanto lo aveva seguito, da lontano, fino al palazzo del sommo sacerdote; entrò e stava seduto fra i servi, per vedere come sarebbe andata a finire. I capi dei sacerdoti e tutto il sinedrio cercavano una falsa testimonianza contro Gesù, per metterlo a morte; ma non la trovarono, sebbene si fossero presentati molti falsi testimoni. Finalmente se ne presentarono due, che affermarono:

A «Costui ha dichiarato: "Posso distruggere il tempio di Dio e ricostruirlo in tre giorni"».

L Il sommo sacerdote si alzò e gli disse:

A «Non rispondi nulla? Che cosa testimoniano costoro contro di te?».

L Ma Gesù taceva. Allora il sommo sacerdote gli disse:

A «Ti scongiuro, per il Dio vivente, di dirci se sei tu il Cristo, il Figlio di Dio».

L Gli rispose Gesù:

✠ «Tu l'hai detto; anzi io vi dico: d'ora innanzi vedrete il Figlio dell'uomo seduto alla destra della Potenza e venire sulle nubi del cielo».

L Allora il sommo sacerdote si stracciò le vesti dicendo:

A «Ha bestemmiato! Che bisogno abbiamo ancora di testimoni? Ecco, ora avete udito la bestemmia; che ve ne pare?».

L E quelli risposero:

A «È reo di morte!».

L Allora gli sputarono in faccia e lo percossero; altri lo schiaffeggiarono, dicendo:

A «Fa' il profeta per noi, Cristo! Chi è che ti ha colpito?».

L Pietro intanto se ne stava seduto fuori, nel cortile. Una giovane serva gli si avvicinò e disse:

A «Anche tu eri con Gesù, il Galileo!».

L Ma egli negò davanti a tutti dicendo:

A «Non capisco che cosa dici».

L Mentre usciva verso l'atrio, lo vide un'altra serva e disse ai presenti:

A «Costui era con Gesù, il Nazareno».

L Ma egli negò di nuovo, giurando:

A «Non conosco quell'uomo!».

L Dopo un poco, i presenti si avvicinarono e dissero a Pietro:

A «È vero, anche tu sei uno di loro: infatti il tuo accento ti tradisce!».

L Allora egli cominciò a imprecare e a giurare:

A «Non conosco quell'uomo!».

L E subito un gallo cantò. E Pietro si ricordò della parola di Gesù, che aveva detto:

✠ «Prima che il gallo canti, tu mi rinnegherai tre volte».

L E, uscito fuori, pianse amaramente.

Venuto il mattino, tutti i capi dei sacerdoti e gli anziani del popolo tennero consiglio contro Gesù per farlo morire. Poi lo misero in catene, lo condussero via e lo consegnarono al governatore Pilato. Allora Giuda – colui che lo tradì –, vedendo che Gesù era stato condannato, preso dal rimorso, riportò le trenta monete d'argento ai capi dei sacerdoti e agli anziani, dicendo:

A «Ho peccato, perché ho tradito sangue innocente».

L Ma quelli dissero:

A «A noi che importa? Pensaci tu!».

L Egli allora, gettate le monete d'argento nel tempio, si allontanò e andò a impiccarsi. I capi dei sacerdoti, raccolte le monete, dissero:

A «Non è lecito metterle nel tesoro, perché sono prezzo di sangue».

L Tenuto consiglio, comprarono con esse il «Campo del vasaio» per la sepoltura degli stranieri. Perciò quel campo fu chiamato «Campo di sangue» fino al giorno d'oggi. Allora si compì quanto era stato detto per mezzo del profeta Geremia:

A «E presero trenta monete d'argento, il prezzo di colui che a tal prezzo fu valutato dai figli d'Israele, e le diedero per il campo del vasaio, come mi aveva ordinato il Signore».

[Forma breve. Il lettore inizia con queste parole: In quel tempo Gesù comparve davanti al governatore, e...]

L Gesù intanto comparve davanti al governatore, e il governatore lo interrogò dicendo:

A «Sei tu il re dei Giudei?».

L Gesù rispose:

✠ «Tu lo dici».

L E mentre i capi dei sacerdoti e gli anziani lo accusavano, non rispose nulla. Allora Pilato gli disse:

A «Non senti quante testimonianze portano contro di te?».

L Ma non gli rispose neanche una parola, tanto che il governatore rimase assai stupito. A ogni festa, il governatore era solito rimettere in libertà per la folla un carcerato, a loro scelta. In quel momento avevano un carcerato famoso, di nome Barabba. Perciò, alla gente che si era radunata, Pilato disse:

A «Chi volete che io rimetta in libertà per voi: Barabba o Gesù, chiamato Cristo?».

L Sapeva bene infatti che glielo avevano consegnato per invidia. Mentre egli sedeva in tribunale, sua moglie gli mandò a dire:

A «Non avere a che fare con quel giusto, perché oggi, in sogno, sono stata molto turbata per causa sua».

L Ma i capi dei sacerdoti e gli anziani persuasero la folla a chiedere Barabba e a far morire Gesù. Allora il governatore domandò loro:

A «Di questi due, chi volete che io rimetta in libertà per voi?».

L Quelli risposero:

A «Barabba!».

L Chiese loro Pilato:

A «Ma allora, che farò di Gesù, chiamato Cristo?».

L Tutti risposero:

A «Sia crocifisso!».

L Ed egli disse:

A «Ma che male ha fatto?».

L Essi allora gridavano più forte:

A «Sia crocifisso!».

L Pilato, visto che non otteneva nulla, anzi che il tumulto aumentava, prese dell'acqua e si lavò le mani davanti alla folla, dicendo:

A «Non sono responsabile di questo sangue. Pensateci voi!».

L E tutto il popolo rispose:

A «Il suo sangue ricada su di noi e sui nostri figli».

L Allora rimise in libertà per loro Barabba e, dopo aver fatto flagellare Gesù, lo consegnò perché fosse crocifisso.

Allora i soldati del governatore condussero Gesù nel pretorio e gli radunarono attorno tutta la truppa. Lo spogliarono, gli fecero indossare un mantello scarlatto, intrecciarono una corona di spine, gliela posero sul capo e gli misero una canna nella mano destra. Poi, inginocchiandosi davanti a lui, lo deridevano:

A «Salve, re dei Giudei!».

L Sputandogli addosso, gli tolsero di mano la canna e lo percuotevano sul capo. Dopo averlo deriso, lo spogliarono del mantello e gli rimisero le sue vesti, poi lo condussero via per crocifiggerlo.

Mentre uscivano, incontrarono un uomo di Cirene, chiamato Simone, e lo costrinsero a portare la sua croce. Giunti al luogo detto Gòlgota, che significa «Luogo del cranio», gli diedero da bere vino mescolato con fiele. Egli lo assaggiò, ma non ne volle bere. Dopo averlo crocifisso, si divisero le sue vesti, tirandole a sorte. Poi, seduti, gli facevano la guardia. Al di sopra del suo capo posero il motivo scritto della sua condanna: «Costui è Gesù, il re dei Giudei». Insieme a lui vennero crocifissi due ladroni, uno a destra e uno a sinistra.

Quelli che passavano di lì lo insultavano, scuotendo il capo e dicendo:

A «Tu, che distruggi il tempio e in tre giorni lo ricostruisci, salva te stesso, se tu sei Figlio di Dio, e scendi dalla croce!».

L Così anche i capi dei sacerdoti, con gli scribi e gli anziani, facendosi beffe di lui dicevano:

A «Ha salvato altri e non può salvare se stesso! È il re d'Israele; scenda ora dalla croce e crederemo in lui. Ha confidato in Dio; lo liberi lui, ora, se gli vuol bene. Ha detto infatti: "Sono Figlio di Dio"!».

L Anche i ladroni crocifissi con lui lo insultavano allo stesso modo.

A mezzogiorno si fece buio su tutta la terra, fino alle tre del pomeriggio. Verso le tre, Gesù gridò a gran voce:

✠ «Elì, Elì, lemà sabactàni?»,

L che significa:

✠ «Dio mio, Dio mio, perché mi hai abbandonato?».

L Udendo questo, alcuni dei presenti dicevano:
A «Costui chiama Elia».
L E subito uno di loro corse a prendere una spugna, la inzuppò di aceto, la fissò su una canna e gli dava da bere. Gli altri dicevano:
A «Lascia! Vediamo se viene Elia a salvarlo!».
L Ma Gesù di nuovo gridò a gran voce ed emise lo spirito.

[*Qui si genuflette e si fa una breve pausa*]

L Ed ecco, il velo del tempio si squarciò in due, da cima a fondo, la terra tremò, le rocce si spezzarono, i sepolcri si aprirono e molti corpi di santi, che erano morti, risuscitarono. Uscendo dai sepolcri, dopo la sua risurrezione, entrarono nella città santa e apparvero a molti. Il centurione, e quelli che con lui facevano la guardia a Gesù, alla vista del terremoto e di quello che succedeva, furono presi da grande timore e dicevano:
A «Davvero costui era Figlio di Dio!».

[*Fine della forma breve. Si conclude con la formula:* Parola del Signore]

L Vi erano là anche molte donne, che osservavano da lontano; esse avevano seguito Gesù dalla Galilea per servirlo. Tra queste c'erano Maria di Màgdala, Maria madre di Giacomo e di Giuseppe, e la madre dei figli di Zebedèo.
Venuta la sera, giunse un uomo ricco, di Arimatèa, chiamato Giuseppe; anche lui era diventato discepolo di Gesù. Questi si presentò a Pilato e chiese il corpo di Gesù. Pilato allora ordinò che gli fosse consegnato. Giuseppe prese il corpo, lo avvolse in un lenzuolo pulito e lo depose nel suo sepolcro nuovo, che si era fatto scavare nella roc-

cia; rotolata poi una grande pietra all'entrata del sepolcro, se ne andò. Lì, sedute di fronte alla tomba, c'erano Maria di Màgdala e l'altra Maria.

Il giorno seguente, quello dopo la Parascève, si riunirono presso Pilato i capi dei sacerdoti e i farisei, dicendo:

A «Signore, ci siamo ricordati che quell'impostore, mentre era vivo, disse: "Dopo tre giorni risorgerò". Ordina dunque che la tomba venga vigilata fino al terzo giorno, perché non arrivino i suoi discepoli, lo rubino e poi dicano al popolo: "È risorto dai morti". Così quest'ultima impostura sarebbe peggiore della prima!».

L Pilato disse loro:

A «Avete le guardie: andate e assicurate la sorveglianza come meglio credete».

L Essi andarono e, per rendere sicura la tomba, sigillarono la pietra e vi lasciarono le guardie.

— Parola del Signore.

R. **Lode a te, o Cristo.**

ANNO B

✠ **Passione di nostro Signore Gesù Cristo secondo Marco**   (14,1-15,47)

R. **Gloria a te, o Signore.**

[*La forma breve (15,1-39) incomincia a p. 42*]

L Mancavano due giorni alla Pasqua e agli Àzzimi, e i capi dei sacerdoti e gli scribi cercavano il modo di catturare Gesù con un inganno per farlo morire. Dicevano infatti:

A «Non durante la festa, perché non vi sia una rivolta del popolo».

L Gesù si trovava a Betània, nella casa di Simone il lebbroso. Mentre era a tavola, giunse una donna che aveva un vaso di alabastro, pieno di profumo di puro nardo, di grande valore. Ella ruppe il vaso di alabastro e versò il profumo sul suo capo. Ci furono alcuni, fra loro, che si indignarono:

A «Perché questo spreco di profumo? Si poteva venderlo per più di trecento denari e darli ai poveri!».

L Ed erano infuriati contro di lei. Allora Gesù disse:

✠ «Lasciatela stare; perché la infastidite? Ha compiuto un'azione buona verso di me. I poveri infatti li avete sempre con voi e potete far loro del bene quando volete, ma non sempre avete me. Ella ha fatto ciò che era in suo potere, ha unto in anticipo il mio corpo per la sepoltura. In verità io vi dico: dovunque sarà proclamato il Vangelo, per il mondo intero, in ricordo di lei si dirà anche quello che ha fatto».

L Allora Giuda Iscariota, uno dei Dodici, si recò dai capi dei sacerdoti per consegnare loro Gesù. Quelli, all'udirlo, si rallegrarono e promisero di dargli del denaro. Ed egli cercava come consegnarlo al momento opportuno.

Il primo giorno degli Àzzimi, quando si immolava la Pasqua, i suoi discepoli gli dissero:

A «Dove vuoi che andiamo a preparare, perché tu possa mangiare la Pasqua?».

L Allora mandò due dei suoi discepoli, dicendo loro:

✠ «Andate in città e vi verrà incontro un uomo con una brocca d'acqua; seguitelo. Là dove entrerà, dite al padrone di casa: "Il Maestro dice: Dov'è la mia stanza, in cui io possa mangiare la Pasqua con i miei discepoli?". Egli vi mostrerà al piano superiore una grande sala, arredata e già pronta; lì preparate la cena per noi».

L I discepoli andarono e, entrati in città, trovarono come aveva detto loro e prepararono la Pasqua.

Venuta la sera, egli arrivò con i Dodici. Ora, mentre erano a tavola e mangiavano, Gesù disse:

✠ «In verità io vi dico: uno di voi, colui che mangia con me, mi tradirà».

L Cominciarono a rattristarsi e a dirgli, uno dopo l'altro:

A «Sono forse io?».

L Egli disse loro:

✠ «Uno dei Dodici, colui che mette con me la mano nel piatto. Il Figlio dell'uomo se ne va, come sta scritto di lui; ma guai a quell'uomo, dal quale il Figlio dell'uomo viene tradito! Meglio per quell'uomo se non fosse mai nato!».

L E, mentre mangiavano, prese il pane e recitò la benedizione, lo spezzò e lo diede loro, dicendo:

✠ «Prendete, questo è il mio corpo».

L Poi prese un calice e rese grazie, lo diede loro e ne bevvero tutti. E disse loro:

✠ «Questo è il mio sangue dell'alleanza, che è versato per molti. In verità io vi dico che non berrò mai più del frutto della vite fino al giorno in cui lo berrò nuovo, nel regno di Dio».

L Dopo aver cantato l'inno, uscirono verso il monte degli Ulivi. Gesù disse loro:

✠ «Tutti rimarrete scandalizzati, perché sta scritto: "Percuoterò il pastore e le pecore saranno disperse". Ma, dopo che sarò risorto, vi precederò in Galilea».

L Pietro gli disse:

A «Anche se tutti si scandalizzeranno, io no!».

L Gesù gli disse:

✠ «In verità io ti dico: proprio tu, oggi, questa notte, prima che due volte il gallo canti, tre volte mi rinnegherai».

L Ma egli, con grande insistenza, diceva:

A «Anche se dovessi morire con te, io non ti rinnegherò».

L Lo stesso dicevano pure tutti gli altri.

Giunsero a un podere chiamato Getsèmani, ed egli disse ai suoi discepoli:

✠ «Sedetevi qui, mentre io prego».

L Prese con sé Pietro, Giacomo e Giovanni e cominciò a sentire paura e angoscia. Disse loro:

✠ «La mia anima è triste fino alla morte. Restate qui e vegliate».

L Poi, andato un po' innanzi, cadde a terra e pregava che, se fosse possibile, passasse via da lui quell'ora. E diceva:

✠ «Abbà! Padre! Tutto è possibile a te: allontana da me questo calice! Però non ciò che voglio io, ma ciò che vuoi tu».

L Poi venne, li trovò addormentati e disse a Pietro:

✠ «Simone, dormi? Non sei riuscito a vegliare una sola ora? Vegliate e pregate per non entrare in tentazione. Lo spirito è pronto, ma la carne è debole».

L Si allontanò di nuovo e pregò dicendo le stesse parole. Poi venne di nuovo e li trovò addormentati, perché i loro occhi si erano fatti pesanti, e non sapevano che cosa rispondergli. Venne per la terza volta e disse loro:

✠ «Dormite pure e riposatevi! Basta! È venuta l'ora: ecco, il Figlio dell'uomo viene consegnato nelle mani dei peccatori. Alzatevi, andiamo! Ecco, colui che mi tradisce è vicino».

L E subito, mentre ancora egli parlava, arrivò Giuda, uno dei Dodici, e con lui una folla con spade e bastoni, mandata dai capi dei sacerdoti, dagli scribi e dagli anziani. Il traditore aveva dato loro un segno convenuto, dicendo:

A «Quello che bacerò, è lui; arrestatelo e conducetelo via sotto buona scorta».

L Appena giunto, gli si avvicinò e disse:

A «Rabbì»

L e lo baciò. Quelli gli misero le mani addosso e lo arrestarono. Uno dei presenti estrasse la spada, percosse il servo del sommo sacerdote e gli staccò l'orecchio. Allora Gesù disse loro:

✠ «Come se fossi un brigante siete venuti a prendermi con spade e bastoni. Ogni giorno ero in mezzo a voi nel tempio a insegnare, e non mi avete arrestato. Si compiano dunque le Scritture!».

L Allora tutti lo abbandonarono e fuggirono. Lo seguiva però un ragazzo, che aveva addosso soltanto un lenzuolo, e lo afferrarono. Ma egli, lasciato cadere il lenzuolo, fuggì via nudo.

Condussero Gesù dal sommo sacerdote, e là si riunirono tutti i capi dei sacerdoti, gli anziani e gli scribi. Pietro lo aveva seguito da lontano, fin dentro il cortile del palazzo del sommo sacerdote, e se ne stava seduto tra i servi, scaldandosi al fuoco. I capi dei sacerdoti e tutto il sinedrio cercavano una testimonianza contro Gesù per metterlo a morte, ma non la trovavano. Molti infatti testimoniavano il falso contro di lui e le loro testimonianze non erano concordi. Alcuni si alzarono a testimoniare il falso contro di lui, dicendo:

A «Lo abbiamo udito mentre diceva: "Io distruggerò questo tempio, fatto da mani d'uomo, e in tre giorni ne costruirò un altro, non fatto da mani d'uomo"».

L Ma nemmeno così la loro testimonianza era concorde. Il sommo sacerdote, alzatosi in mezzo all'assemblea, interrogò Gesù dicendo:

A «Non rispondi nulla? Che cosa testimoniano costoro contro di te?».

L Ma egli taceva e non rispondeva nulla. Di nuovo il sommo sacerdote lo interrogò dicendogli:

A «Sei tu il Cristo, il Figlio del Benedetto?».

L Gesù rispose:

✠ «Io lo sono! E vedrete il Figlio dell'uomo seduto alla destra della Potenza e venire con le nubi del cielo».

L Allora il sommo sacerdote, stracciandosi le vesti, disse:

A «Che bisogno abbiamo ancora di testimoni? Avete udito la bestemmia; che ve ne pare?».

L Tutti sentenziarono che era reo di morte. Alcuni si misero a sputargli addosso, a bendargli il volto, a percuoterlo e a dirgli:

A «Fa' il profeta!».

L E i servi lo schiaffeggiavano.

Mentre Pietro era giù nel cortile, venne una delle giovani serve del sommo sacerdote e, vedendo Pietro che stava a scaldarsi, lo guardò in faccia e gli disse:

A «Anche tu eri con il Nazareno, con Gesù».

L Ma egli negò, dicendo:

A «Non so e non capisco che cosa dici».

L Poi uscì fuori verso l'ingresso e un gallo cantò. E la serva, vedendolo, ricominciò a dire ai presenti:

A «Costui è uno di loro».

L Ma egli di nuovo negava. Poco dopo i presenti dicevano di nuovo a Pietro:

A «È vero, tu certo sei uno di loro; infatti sei Galileo».

L Ma egli cominciò a imprecare e a giurare:

A «Non conosco quest'uomo di cui parlate».

L E subito, per la seconda volta, un gallo cantò. E Pietro si ricordò della parola che Gesù gli aveva detto: «Prima che due volte il gallo canti, tre volte mi rinnegherai». E scoppiò in pianto.

[*Forma breve. Il lettore inizia con queste parole:* Al mattino, i capi dei sacerdoti...]

L E subito, al mattino, i capi dei sacerdoti, con gli anziani, gli scribi e tutto il sinedrio, dopo aver tenuto consiglio, misero in catene Gesù, lo portarono via e lo consegnarono a Pilato. Pilato gli domandò:

A «Tu sei il re dei Giudei?».

L Ed egli rispose:

✠ «Tu lo dici».

L I capi dei sacerdoti lo accusavano di molte cose. Pilato lo interrogò di nuovo dicendo:
A «Non rispondi nulla? Vedi di quante cose ti accusano!».
L Ma Gesù non rispose più nulla, tanto che Pilato rimase stupito. A ogni festa, egli era solito rimettere in libertà per loro un carcerato, a loro richiesta. Un tale, chiamato Barabba, si trovava in carcere insieme ai ribelli che nella rivolta avevano commesso un omicidio. La folla, che si era radunata, cominciò a chiedere ciò che egli era solito concedere. Pilato rispose loro:
A «Volete che io rimetta in libertà per voi il re dei Giudei?».
L Sapeva infatti che i capi dei sacerdoti glielo avevano consegnato per invidia. Ma i capi dei sacerdoti incitarono la folla perché, piuttosto, egli rimettesse in libertà per loro Barabba. Pilato disse loro di nuovo:
A «Che cosa volete dunque che io faccia di quello che voi chiamate il re dei Giudei?».
L Ed essi di nuovo gridarono:
A «Crocifiggilo!».
L Pilato diceva loro:
A «Che male ha fatto?».
L Ma essi gridarono più forte:
A «Crocifiggilo!».
L Pilato, volendo dare soddisfazione alla folla, rimise in libertà per loro Barabba e, dopo aver fatto flagellare Gesù, lo consegnò perché fosse crocifisso.
Allora i soldati lo condussero dentro il cortile, cioè nel pretorio, e convocarono tutta la truppa. Lo vestirono di porpora, intrecciarono una coro-

na di spine e gliela misero attorno al capo. Poi presero a salutarlo:

A «Salve, re dei Giudei!».

L E gli percuotevano il capo con una canna, gli sputavano addosso e, piegando le ginocchia, si prostravano davanti a lui. Dopo essersi fatti beffe di lui, lo spogliarono della porpora e gli fecero indossare le sue vesti, poi lo condussero fuori per crocifiggerlo.

Costrinsero a portare la sua croce un tale che passava, un certo Simone di Cirene, che veniva dalla campagna, padre di Alessandro e di Rufo. Condussero Gesù al luogo del Gòlgota, che significa «Luogo del cranio», e gli davano vino mescolato con mirra, ma egli non ne prese.

Poi lo crocifissero e si divisero le sue vesti, tirando a sorte su di esse ciò che ognuno avrebbe preso. Erano le nove del mattino quando lo crocifissero. La scritta con il motivo della sua condanna diceva: «Il re dei Giudei». Con lui crocifissero anche due ladroni, uno a destra e uno alla sua sinistra.

Quelli che passavano di là lo insultavano, scuotendo il capo e dicendo:

A «Ehi, tu che distruggi il tempio e lo ricostruisci in tre giorni, salva te stesso scendendo dalla croce!».

L Così anche i capi dei sacerdoti, con gli scribi, fra loro si facevano beffe di lui e dicevano:

A «Ha salvato altri e non può salvare se stesso! Il Cristo, il re d'Israele, scenda ora dalla croce, perché vediamo e crediamo!».

L E anche quelli che erano stati crocifissi con lui lo insultavano.

Quando fu mezzogiorno, si fece buio su tutta la terra fino alle tre del pomeriggio. Alle tre, Gesù gridò a gran voce:

✠ «Eloì, Eloì, lemà sabactàni?»,

L che significa:

✠ «Dio mio, Dio mio, perché mi hai abbandonato?».

L Udendo questo, alcuni dei presenti dicevano:

A «Ecco, chiama Elia!».

L Uno corse a inzuppare di aceto una spugna, la fissò su una canna e gli dava da bere, dicendo:

A «Aspettate, vediamo se viene Elia a farlo scendere».

L Ma Gesù, dando un forte grido, spirò.

[*Qui si genuflette e si fa una breve pausa*]

L Il velo del tempio si squarciò in due, da cima a fondo. Il centurione, che si trovava di fronte a lui, avendolo visto spirare in quel modo, disse:

A «Davvero quest'uomo era Figlio di Dio!».

[*Fine della forma breve. Si conclude con la formula:* Parola del Signore]

L Vi erano anche alcune donne, che osservavano da lontano, tra le quali Maria di Màgdala, Maria madre di Giacomo il minore e di Ioses, e Salome, le quali, quando era in Galilea, lo seguivano e lo servivano, e molte altre che erano salite con lui a Gerusalemme.
Venuta ormai la sera, poiché era la Parascève, cioè la vigilia del sabato, Giuseppe d'Arimatèa, membro autorevole del sinedrio, che aspettava anch'egli il regno di Dio, con coraggio andò da Pilato e chiese il corpo di Gesù. Pilato si meravigliò che fosse già morto e, chiamato il centurione,

gli domandò se era morto da tempo. Informato dal centurione, concesse la salma a Giuseppe. Egli allora, comprato un lenzuolo, lo depose dalla croce, lo avvolse con il lenzuolo e lo mise in un sepolcro scavato nella roccia. Poi fece rotolare una pietra all'entrata del sepolcro. Maria di Màgdala e Maria madre di Ioses stavano a osservare dove veniva posto.

— Parola del Signore.

R. **Lode a te, o Cristo.**

Anno C

✠ **Passione di nostro Signore Gesù Cristo secondo Luca**   (22,14-23,56)

R. **Gloria a te, o Signore.**

[*La forma breve (Lc 23,1-49) incomincia a p. 51*]

L Quando venne l'ora, [Gesù] prese posto a tavola e gli apostoli con lui, e disse loro:

✠ «Ho tanto desiderato mangiare questa Pasqua con voi, prima della mia passione, perché io vi dico: non la mangerò più, finché essa non si compia nel regno di Dio».

L E, ricevuto un calice, rese grazie e disse:

✠ «Prendetelo e fatelo passare tra voi, perché io vi dico: da questo momento non berrò più del frutto della vite, finché non verrà il regno di Dio».

L Poi prese il pane, rese grazie, lo spezzò e lo diede loro dicendo:

✠ «Questo è il mio corpo, che è dato per voi; fate questo in memoria di me».

L E, dopo aver cenato, fece lo stesso con il calice dicendo:

✠ «Questo calice è la nuova alleanza nel mio sangue, che è versato per voi.

Ma ecco, la mano di colui che mi tradisce è con me, sulla tavola. Il Figlio dell'uomo se ne va, secondo quanto è stabilito, ma guai a quell'uomo dal quale egli viene tradito!».

L Allora essi cominciarono a domandarsi l'un l'altro chi di loro avrebbe fatto questo.

E nacque tra loro anche una discussione: chi di loro fosse da considerare più grande. Egli disse:

✠ «I re delle nazioni le governano, e coloro che hanno potere su di esse sono chiamati benefattori. Voi però non fate così; ma chi tra voi è più grande diventi come il più giovane, e chi governa come colui che serve. Infatti chi è più grande, chi sta a tavola o chi serve? Non è forse colui che sta a tavola? Eppure io sto in mezzo a voi come colui che serve. Voi siete quelli che avete perseverato con me nelle mie prove e io preparo per voi un regno, come il Padre mio l'ha preparato per me, perché mangiate e beviate alla mia mensa nel mio regno. E siederete in trono a giudicare le dodici tribù di Israele.

Simone, Simone, ecco: Satana vi ha cercati per vagliarvi come il grano; ma io ho pregato per te, perché la tua fede non venga meno. E tu, una volta convertito, conferma i tuoi fratelli».

L E Pietro gli disse:

A «Signore, con te sono pronto ad andare anche in prigione e alla morte».

L Gli rispose:

✠ «Pietro, io ti dico: oggi il gallo non canterà prima che tu, per tre volte, abbia negato di conoscermi».

L Poi disse loro:

✠ «Quando vi ho mandato senza borsa, né sacca, né sandali, vi è forse mancato qualcosa?».

L Risposero:

A «Nulla».

L Ed egli soggiunse:

✠ «Ma ora, chi ha una borsa la prenda, e così chi ha una sacca; chi non ha spada, venda il mantello e ne compri una. Perché io vi dico: deve compiersi in me questa parola della Scrittura: "E fu annoverato tra gli empi". Infatti tutto quello che mi riguarda volge al suo compimento».

L Ed essi dissero:

A «Signore, ecco qui due spade».

L Ma egli disse:

✠ «Basta!».

L Uscì e andò, come al solito, al monte degli Ulivi; anche i discepoli lo seguirono. Giunto sul luogo, disse loro:

✠ «Pregate, per non entrare in tentazione».

L Poi si allontanò da loro circa un tiro di sasso, cadde in ginocchio e pregava dicendo:

✠ «Padre, se vuoi, allontana da me questo calice! Tuttavia non sia fatta la mia, ma la tua volontà».

L Gli apparve allora un angelo dal cielo per confortarlo. Entrato nella lotta, pregava più intensamente, e il suo sudore diventò come gocce di sangue che cadono a terra. Poi, rialzatosi dalla preghiera, andò dai discepoli e li trovò che dormivano per la tristezza. E disse loro:

✠ «Perché dormite? Alzatevi e pregate, per non entrare in tentazione».

L Mentre ancora egli parlava, ecco giungere una folla; colui che si chiamava Giuda, uno dei Dodici, li precedeva e si avvicinò a Gesù per baciarlo. Gesù gli disse:

✠ «Giuda, con un bacio tu tradisci il Figlio dell'uomo?».

L Allora quelli che erano con lui, vedendo ciò che stava per accadere, dissero:

A «Signore, dobbiamo colpire con la spada?».

L E uno di loro colpì il servo del sommo sacerdote e gli staccò l'orecchio destro. Ma Gesù intervenne dicendo:

✠ «Lasciate! Basta così!».

L E, toccandogli l'orecchio, lo guarì. Poi Gesù disse a coloro che erano venuti contro di lui, capi dei sacerdoti, capi delle guardie del tempio e anziani:

✠ «Come se fossi un ladro siete venuti con spade e bastoni. Ogni giorno ero con voi nel tempio e non avete mai messo le mani su di me; ma questa è l'ora vostra e il potere delle tenebre».

L Dopo averlo catturato, lo condussero via e lo fecero entrare nella casa del sommo sacerdote. Pietro lo seguiva da lontano. Avevano acceso un fuoco in mezzo al cortile e si erano seduti attorno; anche Pietro sedette in mezzo a loro. Una giovane serva lo vide seduto vicino al fuoco e, guardandolo attentamente, disse:

A «Anche questi era con lui».

L Ma egli negò dicendo:

A «O donna, non lo conosco!».

L Poco dopo un altro lo vide e disse:

A «Anche tu sei uno di loro!».

L Ma Pietro rispose:

A «O uomo, non lo sono!».

L Passata circa un'ora, un altro insisteva:

A «In verità, anche questi era con lui; infatti è Galileo».

L Ma Pietro disse:

A «O uomo, non so quello che dici».

L E in quell'istante, mentre ancora parlava, un gallo cantò. Allora il Signore si voltò e fissò lo sguardo su Pietro, e Pietro si ricordò della parola che il Signore gli aveva detto:

✠ «Prima che il gallo canti, oggi mi rinnegherai tre volte».

L E, uscito fuori, pianse amaramente.

E intanto gli uomini che avevano in custodia Gesù lo deridevano e lo picchiavano, gli bendavano gli occhi e gli dicevano:

A «Fa' il profeta! Chi è che ti ha colpito?».

L E molte altre cose dicevano contro di lui, insultandolo.

Appena fu giorno, si riunì il consiglio degli anziani del popolo, con i capi dei sacerdoti e gli scribi; lo condussero davanti al loro sinedrio e gli dissero:

A «Se tu sei il Cristo, dillo a noi».

L Rispose loro:

✠ «Anche se ve lo dico, non mi crederete; se vi interrogo, non mi risponderete. Ma d'ora in poi il Figlio dell'uomo siederà alla destra della potenza di Dio».

L Allora tutti dissero:

A «Tu dunque sei il Figlio di Dio?».

L Ed egli rispose loro:

✠ «Voi stessi dite che io lo sono».

L E quelli dissero:

A «Che bisogno abbiamo ancora di testimonianza? L'abbiamo udito noi stessi dalla sua bocca».

[Forma breve. Il lettore inizia con queste parole: In quel tempo, tutta l'assemblea...]

L Tutta l'assemblea si alzò; lo condussero da Pilato e cominciarono ad accusarlo:

A «Abbiamo trovato costui che metteva in agitazione il nostro popolo, impediva di pagare tributi a Cesare e affermava di essere Cristo re».

L Pilato allora lo interrogò:

A «Sei tu il re dei Giudei?».

L Ed egli rispose:

✠ «Tu lo dici».

L Pilato disse ai capi dei sacerdoti e alla folla:

A «Non trovo in quest'uomo alcun motivo di condanna».

L Ma essi insistevano dicendo:

A «Costui solleva il popolo, insegnando per tutta la Giudea, dopo aver cominciato dalla Galilea, fino a qui».

L Udito ciò, Pilato domandò se quell'uomo era Galileo e, saputo che stava sotto l'autorità di Erode, lo rinviò a Erode, che in quei giorni si trovava anch'egli a Gerusalemme.

Vedendo Gesù, Erode si rallegrò molto. Da molto tempo infatti desiderava vederlo, per averne sentito parlare, e sperava di vedere qualche miracolo fatto da lui. Lo interrogò, facendogli molte domande, ma egli non gli rispose nulla. Erano presenti anche i capi dei sacerdoti e gli scribi, e insistevano nell'accusarlo. Allora anche Erode, con i suoi soldati, lo insultò, si fece beffe di lui, gli mise addosso una splendida veste e lo rimandò a Pilato. In quel giorno Erode e Pilato diventarono amici tra loro; prima infatti tra loro vi era stata inimicizia.

Pilato, riuniti i capi dei sacerdoti, le autorità e il popolo, disse loro:

A «Mi avete portato quest'uomo come agitatore del popolo. Ecco, io l'ho esaminato davanti a voi, ma non ho trovato in quest'uomo nessuna delle colpe di cui lo accusate; e neanche Erode: infatti ce l'ha rimandato. Ecco, egli non ha fatto nulla che meriti la morte. Perciò, dopo averlo punito, lo rimetterò in libertà».

L Ma essi si misero a gridare tutti insieme:

A «Togli di mezzo costui! Rimettici in libertà Barabba!».

L Questi era stato messo in prigione per una rivolta, scoppiata in città, e per omicidio. Pilato parlò loro di nuovo, perché voleva rimettere in libertà Gesù. Ma essi urlavano:

A «Crocifiggilo! Crocifiggilo!».

L Ed egli, per la terza volta, disse loro:

A «Ma che male ha fatto costui? Non ho trovato in lui nulla che meriti la morte. Dunque, lo punirò e lo rimetterò in libertà».

L Essi però insistevano a gran voce, chiedendo che venisse crocifisso, e le loro grida crescevano. Pilato allora decise che la loro richiesta venisse eseguita. Rimise in libertà colui che era stato messo in prigione per rivolta e omicidio, e che essi richiedevano, e consegnò Gesù al loro volere.

Mentre lo conducevano via, fermarono un certo Simone di Cirene, che tornava dai campi, e gli misero addosso la croce, da portare dietro a Gesù. Lo seguiva una grande moltitudine di popolo e di donne, che si battevano il petto e facevano lamenti su di lui. Ma Gesù, voltandosi verso di loro, disse:

✠ «Figlie di Gerusalemme, non piangete su di me, ma piangete su voi stesse e sui vostri figli. Ecco, verranno giorni nei quali si dirà: "Beate le sterili, i grembi che non hanno generato e i seni che non hanno allattato". Allora cominceranno a dire ai monti: "Cadete su di noi!", e alle colline: "Copriteci!". Perché, se si tratta così il legno verde, che avverrà del legno secco?».

L Insieme con lui venivano condotti a morte anche altri due, che erano malfattori.

Quando giunsero sul luogo chiamato Cranio, vi crocifissero lui e i malfattori, uno a destra e l'altro a sinistra. Gesù diceva:

✠ «Padre, perdona loro perché non sanno quello che fanno».

L Poi dividendo le sue vesti, le tirarono a sorte.

Il popolo stava a vedere; i capi invece lo deridevano dicendo:

A «Ha salvato altri! Salvi se stesso, se è lui il Cristo di Dio, l'eletto».

L Anche i soldati lo deridevano, gli si accostavano per porgergli dell'aceto e dicevano:

A «Se tu sei il re dei Giudei, salva te stesso».

L Sopra di lui c'era anche una scritta: «Costui è il re dei Giudei».

Uno dei malfattori appesi alla croce lo insultava:
A «Non sei tu il Cristo? Salva te stesso e noi!».
L L'altro invece lo rimproverava dicendo:
A «Non hai alcun timore di Dio, tu che sei condannato alla stessa pena? Noi, giustamente, perché riceviamo quello che abbiamo meritato per le nostre azioni; egli invece non ha fatto nulla di male».
L E disse:
A «Gesù, ricordati di me quando entrerai nel tuo regno».
L Gli rispose:
✠ «In verità io ti dico: oggi con me sarai nel paradiso».

L Era già verso mezzogiorno e si fece buio su tutta la terra fino alle tre del pomeriggio, perché il sole si era eclissato. Il velo del tempio si squarciò a metà. Gesù, gridando a gran voce, disse:
✠ «Padre, nelle tue mani consegno il mio spirito».
L Detto questo, spirò.

[*Qui si genuflette e si fa una breve pausa*]

L Visto ciò che era accaduto, il centurione dava gloria a Dio dicendo:
A «Veramente quest'uomo era giusto».
L Così pure tutta la folla che era venuta a vedere questo spettacolo, ripensando a quanto era accaduto, se ne tornava battendosi il petto. Tutti i suoi conoscenti, e le donne che lo avevano seguito fin dalla Galilea, stavano da lontano a guardare tutto questo.

[*Fine della forma breve. Si conclude con la formula:* Parola del Signore]

L Ed ecco, vi era un uomo di nome Giuseppe, membro del sinedrio, buono e giusto. Egli non aveva aderito alla decisione e all'operato degli altri. Era di Arimatèa, una città della Giudea, e aspettava il regno di Dio. Egli si presentò a Pilato e chiese il corpo di Gesù. Lo depose dalla croce, lo avvolse con un lenzuolo e lo mise in un sepolcro scavato nella roccia, nel quale nessuno era stato ancora sepolto. Era il giorno della Parascève e già splendevano le luci del sabato. Le donne che erano venute con Gesù dalla Galilea seguivano Giuseppe; esse osservarono il sepolcro e come era stato posto il corpo di Gesù, poi tornarono indietro e prepararono aromi e oli profumati. Il giorno di sabato osservarono il riposo come era prescritto.

— Parola del Signore.

R. **Lode a te, o Cristo.**

Preghiera dei fedeli

Fratelli e sorelle, Gesù risponde con il silenzio agli interrogativi di Erode e Pilato e agli insulti dei soldati e della folla. Nei momenti più drammatici parla solo con il Padre, affidandosi totalmente a lui. La nostra preghiera esprima il grido degli innocenti e dei perseguitati che attendono una fiduciosa risposta di liberazione. Imploriamo:

R. **Padre, ascoltaci!**

— Perché seguiamo il Cristo anche nei momenti difficili del nostro cammino, e lo riconosciamo in quanti attendono da noi carità, preghiera e solidarietà, preghiamo. R.

— Perché nelle relazioni sociali e internazionali la logica della vendetta e della violenza non prevalga mai su quella del dialogo, e ci si impegni a fare giustizia, preghiamo. ℟.

— Perché chi si pente delle proprie scelte sbagliate trovi comprensione dagli altri, soprattutto dagli amici, sostegno per rialzarsi e fiducia per una nuova vita, preghiamo. ℟.

— Perché la totale fiducia di Gesù morente vinca la disperazione di quanti si sentono abbandonati e li aiuti a superare la paura, preghiamo. ℟.

Padre, mentre stiamo anche noi a osservare il sepolcro in cui viene deposto Gesù, ti supplichiamo: volgi il tuo sguardo a questa umanità, che t'invoca. Sappia cercare il compimento della tua volontà, particolarmente quando è chiamata a bere il calice amaro della passione e della croce. Per Cristo nostro Signore.

℟. **Amen.**

Sulle offerte

Dio onnipotente, la passione del tuo unico Figlio affretti il giorno del tuo perdono; non lo meritiamo per le nostre opere, ma l'ottenga dalla tua misericordia questo unico mirabile sacrificio. Per Cristo nostro Signore.

℟. **Amen.**

Prefazio

È veramente cosa buona e giusta, nostro dovere e fonte di salvezza, rendere grazie sempre e in

ogni luogo a te, Signore, Padre santo, Dio onnipotente ed eterno, per Cristo nostro Signore.
Egli, che era senza peccato, accettò la passione
per noi peccatori e, consegnandosi a un'ingiusta
condanna, portò il peso dei nostri peccati. Con la
sua morte lavò le nostre colpe e con la sua risurrezione ci acquistò la salvezza. E noi, con tutti gli
angeli del cielo, innalziamo a te il nostro canto, e
proclamiamo insieme la tua lode: **Santo...**

Antifona alla comunione

Padre mio, se questo calice non può passare via
senza che io lo beva, si compia la tua volontà.

Dopo la comunione

O Padre, che ci hai nutriti con i tuoi santi doni, e
con la morte del tuo Figlio ci fai sperare nei beni
in cui crediamo, fa' che per la sua risurrezione
possiamo giungere alla mèta della nostra speranza. Per Cristo nostro Signore.
℟. **Amen.**

Orazione sul popolo

Volgi lo sguardo, o Padre, su questa tua famiglia
per la quale il Signore nostro Gesù Cristo non
esitò a consegnarsi nelle mani dei malfattori e a
subire il supplizio della croce. Egli vive e regna
nei secoli dei secoli.
℟. **Amen.**

LUNEDÌ SANTO

La profezia di Isaia (I lettura) trova il suo completo avveramento in Gesù: egli è l'eletto di Dio, in cui riposa la pienezza dello Spirito Santo. Umile e mansueto, egli proclama con fortezza la giustizia ed è luce per tutte le genti. Nella casa ospitale di Betània (Vangelo), dove Gesù trascorre i giorni precedenti la sua passione, si incontrano due anime e due mondi contrastanti: da una parte Maria con il suo amore ardente e la sua fede operosa, dall'altra Giuda con il suo gretto egoismo e il calcolo meschino. Accostiamoci a Gesù con l'atteggiamento di Maria di Betània e, coscienti della nostra debolezza, chiediamo la forza per poter crescere nell'amore verso Dio e verso i fratelli.

Antifona d'ingresso

Signore, accusa chi mi accusa, combatti chi mi combatte. Afferra scudo e corazza e sorgi in mio aiuto, Signore mio Dio, forza che mi salva.

Colletta

Guarda, Dio onnipotente, l'umanità sfinita per la sua debolezza mortale, e fa' che riprenda vita per la passione del tuo unigenito Figlio. Egli è Dio e vive e regna con te...

℟. **Amen.**

Prima lettura

Non griderà né alzerà il tono della voce.

Gesù è il «Servo di Dio»: egli ha la missione di portare al mondo la giustizia e di instaurare l'alleanza nuova tra Dio e il suo popolo.

Dal libro del profeta Isaìa   (42,1-7)

«Ecco il mio servo che io sostengo, il mio eletto in cui mi compiaccio. Ho posto il mio spirito su di lui; egli porterà il diritto alle nazioni. Non griderà né alzerà il tono, non farà udire in piazza la sua voce, non spezzerà una canna incrinata, non spegnerà uno stoppino dalla fiamma smorta; proclamerà il diritto con verità. Non verrà meno e non si abbatterà, finché non avrà stabilito il diritto sulla terra, e le isole attendono il suo insegnamento».
Così dice il Signore Dio, che crea i cieli e li dispiega, distende la terra con ciò che vi nasce, dà il respiro alla gente che la abita e l'alito a quanti camminano su di essa: «Io, il Signore, ti ho chiamato per la giustizia e ti ho preso per mano; ti ho formato e ti ho stabilito come alleanza del popolo e luce delle nazioni, perché tu apra gli occhi ai ciechi e faccia uscire dal carcere i prigionieri, dalla reclusione coloro che abitano nelle tenebre».
— Parola di Dio.
℟. **Rendiamo grazie a Dio.**

Salmo responsoriale   (dal Sal 26)

℟. *Il Signore è mia luce e mia salvezza.*

Il Signore è mia luce e mia salvezza:
di chi avrò timore?
Il Signore è difesa della mia vita:
di chi avrò paura?   ℟.

Quando mi assalgono i malvagi
per divorarmi la carne,
sono essi, avversari e nemici,
a inciampare e cadere.   ℟.

Se contro di me si accampa un esercito,
il mio cuore non teme;
se contro di me si scatena una guerra,
anche allora ho fiducia. ℟.

Sono certo di contemplare la bontà del Signore
nella terra dei viventi.
Spera nel Signore, sii forte,
si rinsaldi il tuo cuore e spera nel Signore. ℟.

Canto al Vangelo

Lode e onore a te, Signore Gesù!
Salve, nostro Re:
tu solo hai compassione di noi peccatori.
Lode e onore a te, Signore Gesù!

Vangelo

Per il giorno della mia sepoltura.

Mentre Giuda sta per tradire il Maestro, Maria compie verso Gesù un gesto pieno di delicatezza e di rispetto. La presenza di Lazzaro, risuscitato da morte, ci ricorda che Gesù è la risurrezione e la vita.

✠ Dal Vangelo secondo Giovanni   (12,1-11)

Sei giorni prima della Pasqua, Gesù andò a Betània, dove si trovava Làzzaro, che egli aveva risuscitato dai morti. E qui fecero per lui una cena:
Marta serviva e Làzzaro era uno dei commensali.
Maria allora prese trecento grammi di profumo
di puro nardo, assai prezioso, ne cosparse i piedi
di Gesù, poi li asciugò con i suoi capelli, e tutta
la casa si riempì dell'aroma di quel profumo.
Allora Giuda Iscariòta, uno dei suoi discepoli,
che stava per tradirlo, disse: «Perché non si è

venduto questo profumo per trecento denari e non si sono dati ai poveri?». Disse questo non perché gli importasse dei poveri, ma perché era un ladro e, siccome teneva la cassa, prendeva quello che vi mettevano dentro.

Gesù allora disse: «Lasciala fare, perché ella lo conservi per il giorno della mia sepoltura. I poveri infatti li avete sempre con voi, ma non sempre avete me».

Intanto una grande folla di Giudei venne a sapere che egli si trovava là e accorse, non solo per Gesù, ma anche per vedere Làzzaro che egli aveva risuscitato dai morti. I capi dei sacerdoti allora decisero di uccidere anche Làzzaro, perché molti Giudei se ne andavano a causa di lui e credevano in Gesù.

— Parola del Signore.

℟. Lode a te, o Cristo.

Preghiera dei fedeli

Gesù, luce delle genti e nostra giustizia, viene per liberarci da ogni prigionia e cecità. Desiderosi della vita nuova, chiediamo:

℟. **Donaci il tuo Spirito, Signore!**

— Per amarti nella Chiesa, anche quando non ci sentiamo tua perfetta trasparenza, preghiamo: ℟.

— Per servirti nei poveri e in quelli che il mondo emargina, preghiamo: ℟.

— Per aprirci al mistero della croce, consegnandoti la nostra volontà come ha fatto Cristo, preghiamo: ℟.

— Per sentirti vicino a noi peccatori, dalla fede
  incrinata e smorta, preghiamo: ℟.
— Per ricordare che siamo opera delle tue mani
  e tutti fratelli tra noi, preghiamo: ℟.

O Dio, creatore e salvatore nostro, che ci hai donato tutto con il tuo amore, ascolta la nostra preghiera: con il sacrificio del tuo Figlio Gesù, ti offriamo tutto ciò che siamo perché il profumo
della tua lode riempia l'universo intero per tutti
i secoli dei secoli.
℟. **Amen.**

Sulle offerte

Volgi con bontà il tuo sguardo, o Signore, ai santi misteri che celebriamo: il sacrificio, che nella
tua misericordia hai disposto per annullare la
nostra condanna, produca per noi frutti di vita
eterna. Per Cristo nostro Signore.
℟. **Amen.**

Prefazio

È veramente cosa buona e giusta, nostro dovere
e fonte di salvezza, rendere grazie sempre e in
ogni luogo a te, Signore, Padre santo, Dio onnipotente ed eterno, per Cristo nostro Signore.
Contempliamo ormai vicini i giorni della sua Pasqua di morte e risurrezione nei quali è sconfitta
la superbia dell'antico avversario e celebrato il
mistero della nostra redenzione.
Per questo grande mistero, le schiere degli angeli
adorano la tua gloria e per l'eternità si allietano
al tuo cospetto. Al loro canto concedi, o Signore,
che si uniscano le nostre voci nell'inno di lode:
Santo...

Antifona alla comunione

Non nascondermi il tuo volto nel giorno dell'angoscia. Tendi verso di me l'orecchio; quando t'invoco, presto, rispondimi!

Oppure:

Maria di Betania prese trecento grammi di profumo di puro nardo, assai prezioso, ne cosparse i piedi di Gesù, e li asciugò con i suoi capelli.

Dopo la comunione

Visita, Signore, il tuo popolo, consacrato da questi santi misteri, proteggilo con il tuo amore premuroso, perché custodisca con il tuo aiuto i doni che ha ricevuto dalla tua misericordia. Per Cristo nostro Signore.

R. **Amen.**

Orazione sul popolo *facoltativa*

La tua protezione, o Signore, soccorra gli umili e sostenga sempre coloro che confidano nella tua misericordia, perché si preparino alla celebrazione delle feste pasquali non solo con la mortificazione del corpo ma, ancor di più, con la purezza dello spirito. Per Cristo nostro Signore.

MARTEDÌ SANTO

Dio ha tanto amato il mondo da donarci il suo Figlio unigenito per la nostra salvezza (antifona alla comunione). *Egli, con la sua parola e la sua vita, fu e sarà sempre luce per tutte le genti* (I lettura).

Il brano evangelico ci insegna che Gesù non solo ha accettato per noi le sofferenze della sua passione, ma anche il dolore e l'umiliazione del tradimento di un discepolo, che egli stesso aveva scelto e amato.

Riconoscendo che anche noi abbiamo tante volte tradito il Signore, chiediamogli perdono con fiducia (colletta).

Antifona d'ingresso

Non gettarmi in preda ai miei avversari. Contro di me si sono alzati falsi testimoni che soffiano violenza.

Colletta

Concedi a questa tua famiglia, o Padre, di celebrare con fede i misteri della passione del tuo Figlio, per gustare la dolcezza del tuo perdono. Per il nostro Signore Gesù Cristo...

℟. **Amen.**

Prima lettura

Ti renderò luce delle nazioni.

Nella sua missione profetica il «Servo del Signore» incontrerà persecuzione e sofferenza. Ma egli sarà luce e salvezza per tutti i popoli.

Dal libro del profeta Isaìa (49,1-6)

Ascoltatemi, o isole, udite attentamente, nazioni lontane; il Signore dal seno materno mi ha chiamato, fino dal grembo di mia madre ha pronunciato il mio nome. Ha reso la mia bocca come spada affilata, mi ha nascosto all'ombra della sua mano, mi ha reso freccia appuntita, mi ha riposto nella sua faretra.

Mi ha detto: «Mio servo tu sei, Israele, sul quale manifesterò la mia gloria». Io ho risposto: «Invano ho faticato, per nulla e invano ho consumato le mie forze. Ma, certo, il mio diritto è presso il Signore, la mia ricompensa presso il mio Dio».

Ora ha parlato il Signore, che mi ha plasmato suo servo dal seno materno per ricondurre a lui Giacobbe e a lui riunire Israele – poiché ero stato onorato dal Signore e Dio era stato la mia forza – e ha detto: «È troppo poco che tu sia mio servo per restaurare le tribù di Giacobbe e ricondurre i superstiti d'Israele. Io ti renderò luce delle nazioni, perché porti la mia salvezza fino all'estremità della terra».

— Parola di Dio.

℟. **Rendiamo grazie a Dio.**

Salmo responsoriale (dal Sal 70)

℟. *Proclamerò, Signore, la tua salvezza.*

In te, Signore, mi sono rifugiato,
mai sarò deluso.
Per la tua giustizia, liberami e difendimi,
tendi a me il tuo orecchio e salvami. ℟.

Sii tu la mia roccia,
una dimora sempre accessibile;
hai deciso di darmi salvezza:
davvero mia rupe e mia fortezza tu sei!
Mio Dio, liberami dalle mani del malvagio.   ℞.

Sei tu, mio Signore, la mia speranza,
la mia fiducia, Signore, fin dalla mia giovinezza.
Su di te mi appoggiai fin dal grembo materno,
dal seno di mia madre sei tu il mio sostegno.   ℞.

La mia bocca racconterà la tua giustizia,
ogni giorno la tua salvezza,
che io non so misurare.
Fin dalla giovinezza, o Dio, mi hai istruito
e oggi ancora proclamo le tue meraviglie.   ℞.

Canto al Vangelo

Lode e onore a te, Signore Gesù!
Salve, nostro Re, obbediente al Padre:
sei stato condotto alla croce,
come agnello mansueto al macello.
Lode e onore a te, Signore Gesù!

Vangelo

Uno di voi mi tradirà...

Gesù rivela il tradimento di Giuda e il rinnegamento di Pietro. Ma la sua morte è già illuminata dalla gloria che sarà resa al Padre.

✠ Dal Vangelo secondo Giovanni   (13,21-33.36-38)

In quel tempo, [mentre era a mensa con i suoi discepoli,] Gesù fu profondamente turbato e dichiarò: «In verità, in verità io vi dico: uno di voi mi tradirà».

I discepoli si guardavano l'un l'altro, non sapendo bene di chi parlasse. Ora uno dei discepoli, quello che Gesù amava, si trovava a tavola al fianco di Gesù. Simon Pietro gli fece cenno di informarsi chi fosse quello di cui parlava. Ed egli, chinandosi sul petto di Gesù, gli disse: «Signore, chi è?». Rispose Gesù: «È colui per il quale intingerò il boccone e glielo darò». E, intinto il boccone, lo prese e lo diede a Giuda, figlio di Simone Iscariota. Allora, dopo il boccone, Satana entrò in lui.

Gli disse dunque Gesù: «Quello che vuoi fare, fallo presto». Nessuno dei commensali capì perché gli avesse detto questo; alcuni infatti pensavano che, poiché Giuda teneva la cassa, Gesù gli avesse detto: «Compra quello che ci occorre per la festa», oppure che dovesse dare qualche cosa ai poveri. Egli, preso il boccone, subito uscì. Ed era notte.

Quando fu uscito, Gesù disse: «Ora il Figlio dell'uomo è stato glorificato, e Dio è stato glorificato in lui. Se Dio è stato glorificato in lui, anche Dio lo glorificherà da parte sua e lo glorificherà subito. Figlioli, ancora per poco sono con voi; voi mi cercherete ma, come ho detto ai Giudei, ora lo dico anche a voi: dove vado io, voi non potete venire».

Simon Pietro gli disse: «Signore, dove vai?». Gli rispose Gesù: «Dove io vado, tu per ora non puoi seguirmi; mi seguirai più tardi». Pietro disse: «Signore, perché non posso seguirti ora? Darò la mia vita per te!». Rispose Gesù: «Darai la tua vita per me? In verità, in verità io ti dico: non canterà il gallo, prima che tu non m'abbia rinnegato tre volte».

— Parola del Signore.

R. **Lode a te, o Cristo.**

Preghiera dei fedeli

Dio ha un progetto di felicità per ciascun uomo e niente può impedire la sua volontà di salvezza. Dinanzi alle nostre sconfitte, confidiamo in lui e preghiamo:

℟ **Salvaci, Signore.**

— Nella Chiesa tu sei amato ma, per la nostra debolezza, sei anche tradito continuamente: aiuta le comunità cristiane a testimoniare il Cristo crocifisso, umiliato ed esaltato. Preghiamo: ℟

— Attraverso la voce dei poveri spesso ci chiami a te, ma quasi sempre ci allontaniamo indifferenti: indica alla comunità degli uomini la via della riconciliazione. Preghiamo: ℟

— Ci chiedi di servire con amore, ma noi desideriamo piuttosto essere serviti: allontana dal cuore dell'uomo la sete del potere che opprime e distrugge. Preghiamo: ℟

— Ci scandalizziamo per il tradimento degli altri, ma chiudiamo gli occhi sulle nostre molteplici colpe: insegnaci a perdonare tutti senza più giudicare e condannare alcuno per le sue debolezze. Preghiamo: ℟

— Dividiamo lo stesso pane eucaristico, ma siamo restii ad amare e servire il nostro prossimo: rendi anche noi come Gesù pane spezzato a sostegno di tutti. Preghiamo: ℟

Padre, non guardare le nostre colpe, ma alla grandezza della bontà e dell'amore del tuo Figlio Gesù, che per noi è sceso nelle profondità del dolore e della morte, e ora risorto siede con te nella gloria, per tutti i secoli dei secoli.

℟. **Amen.**

Sulle offerte

Accetta con bontà, o Signore, l'offerta della tua famiglia: tu, che la rendi partecipe di questi santi doni, fa' che giunga a possederli pienamente nel tuo regno. Per Cristo nostro Signore.

℟. **Amen.**

Prefazio della passione del Signore II (p. 62).

Antifona alla comunione

Dio non ha risparmiato il proprio Figlio, ma lo ha consegnato per tutti noi.

Oppure:

Ora il Figlio dell'uomo è stato glorificato, e Dio è stato glorificato in lui.

Dopo la comunione

Saziati dal dono di salvezza, invochiamo la tua misericordia, o Signore, perché con questo sacramento che ci nutre nel tempo tu ci renda partecipi della vita eterna. Per Cristo nostro Signore.

℟. **Amen.**

Orazione sul popolo *facoltativa*

La tua misericordia, o Dio, liberi dalle insidie dell'antico peccato il popolo a te fedele e lo renda capace della santità di una vita nuova. Per Cristo nostro Signore.

MERCOLEDÌ SANTO

La liturgia di questo giorno è avvolta nella tristezza. La I lettura ci presenta il «Servo di Dio» che, innocente, si sottomette a flagelli, percosse e umiliazioni d'ogni genere. Il brano evangelico ci ricorda che, mentre Giuda consuma il suo tradimento, il Salvatore fa preparare la cena pasquale. Quella cena, densa di mistero, di amore e di grazia, è l'inizio del sacrificio redentore preannunciato dai profeti. Mentre adoriamo con fede e amore il Figlio di Dio crocifisso (antifona d'ingresso) chiediamo che la sua passione, che ci ha liberato dal potere del nemico, ci renda figli di Dio e fratelli tra di noi (colletta).

Antifona d'ingresso

Nel nome di Gesù ogni ginocchio si pieghi nei cieli, sulla terra e sotto terra, perché Gesù umiliò se stesso facendosi obbediente fino alla morte e a una morte di croce. Per questo Gesù Cristo è Signore, a gloria di Dio Padre.

Colletta

Padre misericordioso, tu hai voluto che il Cristo tuo Figlio subisse per noi il supplizio della croce per liberarci dal potere del nemico: donaci di giungere alla gloria della risurrezione. Per il nostro Signore Gesù Cristo...

℟. **Amen.**

Prima lettura

Non ho sottratto la faccia agli insulti e agli sputi.

Questo canto di Isaia annuncia le sofferenze del Cristo, il «Servo di Dio». Egli però, nella sua passione, è sostenuto dalla presenza del Padre.

Dal libro del profeta Isaìa   (50,4-9)

Il Signore Dio mi ha dato una lingua da discepolo, perché io sappia indirizzare una parola allo
sfiduciato. Ogni mattina fa attento il mio orecchio perché io ascolti come i discepoli. Il Signore
Dio mi ha aperto l'orecchio e io non ho opposto
resistenza, non mi sono tirato indietro.
Ho presentato il mio dorso ai flagellatori, le mie
guance a coloro che mi strappavano la barba; non
ho sottratto la faccia agli insulti e agli sputi. Il
Signore Dio mi assiste, per questo non resto svergognato, per questo rendo la mia faccia dura come pietra, sapendo di non restare confuso.
È vicino chi mi rende giustizia: chi oserà venire a
contesa con me? Affrontiamoci. Chi mi accusa?
Si avvicini a me. Ecco, il Signore Dio mi assiste:
chi mi dichiarerà colpevole?
— Parola di Dio.
℟. **Rendiamo grazie a Dio.**

Salmo responsoriale   (dal Sal 68)

℟. *Nella tua fedeltà soccorrimi, Signore.*

Per te io sopporto l'insulto
e la vergogna mi copre la faccia;
sono diventato un estraneo ai miei fratelli,
uno straniero per i figli di mia madre.
Perché mi divora lo zelo per la tua casa,
gli insulti di chi ti insulta ricadono su di me.   ℟.

Mi sento venir meno.
Mi aspettavo compassione, ma invano,
consolatori, ma non ne ho trovati.
Mi hanno messo veleno nel cibo
e quando avevo sete mi hanno dato aceto.   ℟.

Loderò il nome di Dio con un canto,
lo magnificherò con un ringraziamento.
Vedano i poveri e si rallegrino;
voi che cercate Dio, fatevi coraggio,
perché il Signore ascolta i miseri
e non disprezza i suoi che sono prigionieri.   ℟.

Canto al Vangelo

Lode e onore a te, Signore Gesù!
Salve, nostro Re, obbediente al Padre: sei stato condotto alla croce, come agnello mansueto al macello.
Lode e onore a te, Signore Gesù!

Vangelo

Guai a colui che tradirà il Figlio dell'uomo.

Giuda, per un vile guadagno, tradisce il suo maestro. Gesù gli rivela il tradimento: il suo monito severo vuole essere motivo di resipiscenza.

✠ **Dal Vangelo secondo Matteo**   (26,14-25)

In quel tempo, uno dei Dodici, chiamato Giuda Iscariòta, andò dai capi dei sacerdoti e disse: «Quanto volete darmi perché io ve lo consegni?». E quelli gli fissarono trenta monete d'argento. Da quel momento cercava l'occasione propizia per consegnare Gesù. Il primo giorno degli Àzzimi, i discepoli si avvicinarono a Gesù e gli dissero: «Dove vuoi che prepariamo per te, perché tu possa mangiare la Pasqua?». Ed egli rispose: «Andate in città da un tale e ditegli: "Il Maestro dice: Il mio tempo è vicino; farò la Pasqua da te con i miei discepoli"». I discepoli fecero come aveva loro ordinato Gesù, e prepararono la Pasqua.
Venuta la sera, si mise a tavola con i Dodici. Mentre mangiavano, disse: «In verità io vi dico: uno di voi mi tradirà». Ed essi, profondamente rattristati,

cominciarono ciascuno a domandargli: «Sono forse io, Signore?». Ed egli rispose: «Colui che ha messo con me la mano nel piatto, è quello che mi tradirà. Il Figlio dell'uomo se ne va, come sta scritto di lui; ma guai a quell'uomo dal quale il Figlio dell'uomo viene tradito! Meglio per quell'uomo se non fosse mai nato!». Giuda, il traditore, disse: «Rabbì, sono forse io?». Gli rispose: «Tu l'hai detto».

— Parola del Signore.

℟. **Lode a te, o Cristo.**

Preghiera dei fedeli

Gesù, servo sofferente, ci insegna la vera sapienza, quella che viene dall'alto, e ci spinge a confidare nell'aiuto di Dio Padre. Pertanto lo invochiamo, dicendo:

℟. **Nella prova aiutaci, Padre!**

— Per la Chiesa: fa' che sia fedele, paziente e coraggiosa, per non tradire il Cristo suo sposo. Ti preghiamo: ℟.

— Per i popoli e le nazioni: fa' che compiano un buon cammino sulla via del dialogo, perché vi sia per tutti un futuro di pace. Ti preghiamo: ℟.

— Per le famiglie: fa' che, condividendo affetti, beni e speranze, siano profezia di una vita riconciliata nella fraternità e nell'amore. Ti preghiamo: ℟.

— Per i pastori della comunità cristiana: mantenili nella carità, anche quando lottano in difesa dei piccoli e dei poveri. Ti preghiamo: ℟.

— Per ciascuno di noi: fa' che nella preghiera e nella carità sappiamo far grande il nostro cuore per ospitare ogni giorno Gesù Cristo, nostra Pasqua. Ti preghiamo: ℟.

Padre misericordioso, esaudisci la nostra supplica e donaci un cuore pronto a vivere il mistero della Pasqua. Te lo chiediamo per Cristo nostro Signore.
℟. Amen.

Sulle offerte

Accetta questa offerta, o Signore, e nella tua bontà concedi che testimoniamo con la vita la passione del tuo Figlio che celebriamo nei santi misteri. Per Cristo nostro Signore.
℟. Amen.

Prefazio della passione del Signore II (p. 62).

Antifona alla comunione

Il Figlio dell'uomo non è venuto essere servito, ma per servire e dare la propria vita in riscatto per molti.
Oppure:
Il mio tempo è vicino; farò la Pasqua da te con i miei discepoli.

Dopo la comunione

Dona ai tuoi fedeli, Dio onnipotente, la sicura speranza della vita eterna che ci hai dato con la morte del tuo Figlio, celebrata in questi santi misteri. Per Cristo nostro Signore.
℟. Amen.

Orazione sul popolo *facoltativa*

Concedi ai tuoi figli, o Padre, di gustare senza fine i sacramenti pasquali e di attendere con vivo desiderio i doni promessi, perché, fedeli ai misteri della loro rinascita, siano così condotti a una vita nuova. Per Cristo nostro Signore.

GIOVEDÌ SANTO

MESSA DEL CRISMA

La mattina del giovedì santo, in cattedrale, il vescovo con i sacerdoti delle diverse zone della diocesi concelebra la messa crismale, durante la quale vengono benedetti gli oli e consacrato il santo crisma.
«Questa messa è considerata una delle principali manifestazioni della pienezza del sacerdozio del vescovo, e un segno della stretta unione dei sacerdoti con lui. Infatti con il crisma consacrato dal vescovo vengono unti i neo-battezzati, e segnati in fronte i candidati alla confermazione. A sua volta, l'unzione con l'olio dei catecumeni prepara e predispone i catecumeni stessi al battesimo. E infine l'olio degli infermi reca ai malati sostegno e conforto nelle loro infermità».

Antifona d'ingresso

Gesù Cristo ha fatto di noi un regno, sacerdoti per il suo Dio e Padre; a lui gloria e potenza nei secoli dei secoli. Amen.

Si dice il Gloria.

Colletta

O Padre, che hai consacrato il tuo unigenito Figlio con l'unzione dello Spirito Santo e lo hai costituito Messia e Signore, concedi a noi, resi partecipi della sua consacrazione, di essere testimoni nel mondo della sua opera di salvezza. Per il nostro Signore Gesù Cristo...

R. Amen.

Prima lettura

Il Signore mi ha consacrato con l'unzione; mi ha mandato a portare il lieto annuncio ai miseri e a dare loro un olio di letizia.

Cristo è il sacerdote eterno che lo Spirito di Dio ha consacrato per essere salvatore dei fratelli. Dal suo sacrificio è nata la Chiesa, popolo sacerdotale, che prolunga la sua missione nei secoli.

Dal libro del profeta Isaìa (61,1-3a.6a.8b-9)

Lo spirito del Signore Dio è su di me, perché il Signore mi ha consacrato con l'unzione; mi ha mandato a portare il lieto annuncio ai miseri, a fasciare le piaghe dei cuori spezzati, a proclamare la libertà degli schiavi, la scarcerazione dei prigionieri, a promulgare l'anno di grazia del Signore, il giorno di vendetta del nostro Dio, per consolare tutti gli afflitti, per dare agli afflitti di Sion una corona invece della cenere, olio di letizia invece dell'abito da lutto, veste di lode invece di uno spirito mesto.

Voi sarete chiamati sacerdoti del Signore, ministri del nostro Dio sarete detti.

Io darò loro fedelmente il salario, concluderò con loro un'alleanza eterna. Sarà famosa tra le genti la loro stirpe, la loro discendenza in mezzo ai popoli. Coloro che li vedranno riconosceranno che essi sono la stirpe benedetta dal Signore.

— Parola di Dio.

℟. **Rendiamo grazie a Dio.**

Salmo responsoriale (dal Sal 88)

℟. *Canterò per sempre l'amore del Signore.*

Ho trovato Davide, mio servo,
con il mio santo olio l'ho consacrato;
la mia mano è il suo sostegno,
il mio braccio è la sua forza. R.

La mia fedeltà e il mio amore saranno con lui
e nel mio nome s'innalzerà la sua fronte.
Egli mi invocherà: «Tu sei mio padre,
mio Dio e roccia della mia salvezza». R.

Seconda lettura

Cristo ha fatto di noi un regno, sacerdoti per il suo Dio e Padre.

In Gesù si realizza la promessa dell'alleanza nuova, mentre dal suo sacerdozio trae origine anche il sacerdozio cattolico.

Dal libro dell'Apocalisse di san Giovanni apostolo

(1,5-8)

Grazia a voi e pace da Gesù Cristo, il testimone fedele, il primogenito dei morti e il sovrano dei re della terra.
A Colui che ci ama e ci ha liberati dai nostri peccati con il suo sangue, che ha fatto di noi un regno, sacerdoti per il suo Dio e Padre, a lui la gloria e la potenza nei secoli dei secoli. Amen.
Ecco, viene con le nubi e ogni occhio lo vedrà, anche quelli che lo trafissero, e per lui tutte le tribù della terra si batteranno il petto. Sì, Amen!
Dice il Signore Dio: io sono l'Alfa e l'Omèga, Colui che è, che era e che viene, l'Onnipotente!

— Parola di Dio.

R. **Rendiamo grazie a Dio.**

Canto al Vangelo

Gloria e lode a te, Cristo Signore!
Lo Spirito del Signore è sopra di me: mi ha mandato a portare ai poveri il lieto annuncio.
Gloria e lode a te, Cristo Signore!

Vangelo

Lo Spirito del Signore è sopra di me; per questo mi ha consacrato con l'unzione.

A Nazaret Gesù spiega che la profezia di Isaia si è adempiuta in lui, consacrato dallo Spirito per annunciare l'evangelo della salvezza.

✠ **Dal Vangelo secondo Luca**   (4,16-21)

In quel tempo, Gesù venne a Nàzaret, dove era cresciuto, e secondo il suo solito, di sabato, entrò nella sinagoga e si alzò a leggere. Gli fu dato il rotolo del profeta Isaìa; aprì il rotolo e trovò il passo dove era scritto:
«Lo Spirito del Signore è sopra di me; per questo mi ha consacrato con l'unzione e mi ha mandato a portare ai poveri il lieto annuncio, a proclamare ai prigionieri la liberazione e ai ciechi la vista; a rimettere in libertà gli oppressi e proclamare l'anno di grazia del Signore».
Riavvolse il rotolo, lo riconsegnò all'inserviente e sedette. Nella sinagoga, gli occhi di tutti erano fissi su di lui. Allora cominciò a dire loro: «Oggi si è compiuta questa Scrittura che voi avete ascoltato».
— Parola del Signore.
℟. **Lode a te, o Cristo.**

RINNOVAZIONE
DELLE PROMESSE SACERDOTALI

Dopo l'omelia, il vescovo si rivolge ai presbiteri con queste parole o con altre simili:

Figli carissimi, nella memoria annuale del giorno in cui Cristo Signore comunicò agli apostoli e a noi il suo sacerdozio, volete rinnovare le promesse a suo tempo fatte davanti al vostro vescovo e al popolo santo di Dio?

Presbiteri: **Sì, lo voglio.**

Vescovo: **Volete** unirvi e conformarvi intimamente al Signore Gesù, rinunciando a voi stessi e rinnovando i sacri impegni che, spinti dall'amore di Cristo, avete assunto con gioia verso la sua Chiesa nel giorno della vostra ordinazione sacerdotale?

Presbiteri: **Sì, lo voglio.**

Vescovo: **Volete** essere fedeli dispensatori dei misteri di Dio per mezzo della santa Eucaristia e delle altre azioni liturgiche, e adempiere fedelmente il ministero della parola di salvezza, sull'esempio di Cristo, capo e pastore, lasciandovi guidare non da interessi umani, ma dall'amore per i vostri fratelli?

Presbiteri: **Sì, lo voglio.**

Quindi, rivolgendosi al popolo, il vescovo continua:

E voi, figli carissimi, pregate per i vostri sacerdoti. Il Signore effonda su di loro l'abbondanza dei suoi doni perché siano fedeli ministri di Cristo, Sommo Sacerdote, e vi conducano a lui, unica fonte di salvezza.

Diacono: Per tutti i nostri sacerdoti, preghiamo.
Tutti: **Ascoltaci, Signore.**

Vescovo: E pregate anche per me, perché sia fedele al servizio apostolico, affidato alla mia umile persona, e tra voi io diventi ogni giorno di più immagine viva e autentica di Cristo sacerdote, buon pastore, maestro e servo di tutti.
Diacono: Per il nostro vescovo N., preghiamo.
Tutti: **Ascoltaci, Signore.**

Vescovo: Il Signore ci custodisca nel suo amore e conduca tutti noi, pastori e gregge, alla vita eterna.
Tutti: **Amen.**

Non si dice il Credo *e si omette la preghiera universale.*

LITURGIA DELLA BENEDIZIONE DEGLI OLI

A questo punto si forma una processione dalla sacrestia all'altare per portare l'olio per il crisma, per gli infermi e quello per i catecumeni, per la benedizione. Durante la processione si può eseguire qualche canto adatto.

Benedizione dell'olio dei catecumeni

I ministri aprono le ampolle con l'olio dei catecumeni e le presentano al vescovo. Il diacono dice:
Diacono: Ecco l'olio dei catecumeni.
Tutti: **Rendiamo grazie a Dio.**

Vescovo: Fratelli e sorelle, con riconoscenza verso Dio onnipotente, nostra luce e nostra forza, accogliamo l'olio, frutto della terra, del sole e del lavoro umano. Benediciamo il Padre del Signore no-

stro Gesù Cristo: egli ha voluto il suo Figlio unigenito liberatore e illuminatore dell'umanità de-
caduta. Invochiamo lo Spirito Consolatore, perché i catecumeni, che saranno unti con questo
olio, siano forti nella lotta contro ogni forma di
morte e fedeli alla sequela di Cristo.

*Dopo una breve pausa di silenzio orante, il vescovo dice
questa orazione:*

O Dio, sostegno e difesa del tuo popolo, benedici ✠
quest'olio nel quale hai voluto donarci un segno
della tua forza divina; concedi energia e vigore ai
catecumeni che ne riceveranno l'unzione, perché,
illuminati dalla tua sapienza, comprendano più
profondamente il Vangelo di Cristo; sostenuti dalla tua potenza, assumano con generosità gli impegni della vita cristiana; fatti degni dell'adozione a
figli, gustino la gioia di rinascere e vivere nella tua
Chiesa. Per Cristo nostro Signore.
℟. **Amen.**

Benedizione dell'olio degli infermi

*I ministri aprono le ampolle con l'olio degli infermi e le
presentano al vescovo. Il diacono dice:*

Diacono: Ecco l'olio degli infermi.

Tutti: **Rendiamo grazie a Dio.**

Vescovo: Fratelli e sorelle, con riconoscenza verso Dio, Signore della vita e della morte, accogliamo l'olio, frutto della terra e del lavoro umano.
Benediciamo il Padre del Signore nostro Gesù
Cristo, che ha inviato suo Figlio a guarire coloro
che hanno il cuore spezzato e a sanare le nostre

infermità. Invochiamo lo Spirito Consolatore, perché tutti coloro che saranno unti con quest'olio, siano liberati dal peccato e ricevano consolazione e vita.

Dopo una breve pausa di silenzio orante, il vescovo dice questa orazione:

O Dio, Padre di ogni consolazione, che per mezzo del tuo Figlio hai voluto recare sollievo alle sofferenze degli infermi, ascolta la preghiera della nostra fede: manda dal cielo il tuo Spirito Santo Paraclito su quest'olio, frutto dell'olivo, nutrimento e sollievo del nostro corpo; effondi la tua santa ✠ benedizione perché quanti riceveranno l'unzione ottengano conforto nel corpo, nell'anima e nello spirito, e siano liberati da ogni malattia, angoscia e dolore. Questo dono della tua creazione diventi olio santo da te benedetto per noi, nel nome del nostro Signore Gesù Cristo, che vive e regna con te per tutti i secoli dei secoli.

℟. **Amen.**

Benedizione del crisma

I ministri aprono e presentano al vescovo le ampolle con l'olio per il crisma. Il diacono dice:

Diacono: Ecco l'olio per il santo crisma.
Tutti: **Rendiamo grazie a Dio.**

Vescovo: Fratelli carissimi, rivolgiamo la nostra preghiera a Dio Padre onnipotente, perché benedica e santifichi quest'olio misto a profumo, e coloro che ne riceveranno l'unzione siano interiormente consacrati e resi partecipi della missione di Cristo redentore.

Dopo un breve tempo di silenzio orante, il vescovo alita, secondo l'opportunità, sull'ampolla del crisma e pronuncia questa preghiera o la sua forma breve (cf. pp. 84-85).

O Dio, fonte prima di ogni vita e autore di ogni crescita nello spirito, accogli il gioioso canto di lode che la Chiesa ti innalza con la nostra voce. Tu in principio facesti spuntare dalla terra alberi fruttiferi e tra questi l'olivo, perché dall'olio fluente venisse a noi il dono del crisma.

Il profeta Davide, misticamente presago dei sacramenti futuri, cantò quest'olio che fa splendere di gioia il nostro volto. Dopo il diluvio, lavacro espiatore dell'iniquità del mondo, la colomba portò il ramoscello d'olivo, simbolo dei beni messianici, e annunziò che sulla terra era tornata la pace.

Nella pienezza dei tempi si sono avverate le figure antiche quando, distrutti i peccati nelle acque del Battesimo, l'unzione dell'olio ha fatto riapparire sul volto dell'uomo la tua luce gioiosa. Mosè, tuo servo, per tua volontà purificò con l'acqua il fratello Aronne e con la santa unzione lo consacrò sacerdote.

Il valore di tutti questi segni si rivelò pienamente in Gesù Cristo tuo Figlio e nostro Signore. Quando egli chiese il battesimo a Giovanni nelle acque del fiume Giordano, allora tu hai mandato dal cielo in forma di colomba lo Spirito Santo e hai testimoniato, con la tua stessa voce, che in lui, tuo Figlio unigenito, dimora tutta la tua compiacenza. Su di lui a preferenza di tutti gli altri uomini, hai effuso l'olio di esultanza, profeticamente cantato da Davide.

Tutti i concelebranti, in silenzio, stendono la mano destra verso il crisma e la tengono così stesa fino al termine dell'orazione.

Ora ti preghiamo, o Padre: santifica con la tua benedizione ✠ quest'olio, dono della tua provvidenza; impregnalo della forza del tuo Spirito e della potenza che emana dal Cristo dal cui santo nome è chiamato crisma l'olio che consacra i sacerdoti, i re, i profeti e i martiri. Confermalo come segno sacramentale di salvezza e vita perfetta per i tuoi figli rinnovati nel lavacro spirituale del Battesimo. Questa unzione li penetri e li santifichi, perché liberi dalla nativa corruzione, e consacrati tempio della tua gloria, spandano il profumo di una vita santa. Si compia in essi il disegno del tuo amore e la loro vita integra e pura sia in tutto conforme alla grande dignità che li riveste come re, sacerdoti e profeti. Quest'olio sia crisma di salvezza per tutti i rinati dall'acqua e dallo Spirito Santo; li renda partecipi della vita eterna e commensali al banchetto della tua gloria. Per Cristo nostro Signore.

℞. **Amen.**

Oppure (forma breve):

O Dio, principio e fonte di ogni bene, che nei segni sacramentali ci comunichi la tua stessa vita, noi rendiamo grazie al tuo paterno amore.
Nelle figure dell'antica alleanza, tu annunciasti profeticamente il mistero della santa unzione, e quando venne la pienezza dei tempi lo facesti splendere di nuova luce nel tuo amatissimo Figlio.
Il Cristo nostro Signore, compiuta la redenzione nel mistero pasquale, riempì di Spirito Santo la

tua Chiesa e l'arricchì di una mirabile varietà di doni e carismi, perché divenisse per tutto il mondo segno e strumento della salvezza.

Padre santo, nel segno sacramentale del crisma tu offri agli uomini i tesori della tua grazia, perché i tuoi figli, rinati nell'acqua del Battesimo e resi più somiglianti al Cristo con l'unzione dello Spirito Santo, diventino partecipi della sua missione profetica, sacerdotale e regale.

Tutti i concelebranti, in silenzio, stendono la mano destra verso il crisma e la tengono così fino al termine dell'orazione.

Ora ti preghiamo, o Padre, fa' che quest'olio misto a profumo diventi con la tua forza santificatrice segno sacramentale della tua ✠ benedizione; effondi i doni dello Spirito Santo sui nostri fratelli che riceveranno l'unzione del crisma.

Dio di eterna luce, splenda la tua santità nei luoghi e nelle cose segnate da questo santo olio; con il tuo Spirito operante nel mistero dell'unzione espandi e perfeziona la tua Chiesa, finché raggiunga la pienezza della misura di Cristo e tu, trino e unico Signore, sarai tutto in tutti nei secoli dei secoli.

℟. **Amen.**

La messa prosegue al modo solito con l'offertorio.

Orazione sulle offerte

La potenza di questo sacrificio, o Signore, cancelli l'antica schiavitù del peccato e faccia germogliare in noi novità di vita e salvezza. Per Cristo nostro Signore.

℟. **Amen.**

Prefazio

È veramente cosa buona e giusta, nostro dovere e fonte di salvezza, rendere grazie sempre e in ogni luogo a te, Signore, Padre santo, Dio onnipotente ed eterno.

Con l'unzione dello Spirito Santo hai costituito il tuo Figlio unigenito mediatore della nuova ed eterna alleanza, e con disegno mirabile hai voluto che il suo unico sacerdozio fosse perpetuato nella Chiesa.

Egli comunica il sacerdozio regale a tutto il popolo dei redenti.

Nel suo amore per i fratelli sceglie alcuni che, mediante l'imposizione delle mani, rende partecipi del suo ministero di salvezza, perché rinnovino nel suo nome il sacrificio redentore e preparino ai tuoi figli il convito pasquale.

Servi premurosi del tuo popolo, lo nutrano con la Parola e lo santifichino con i sacramenti; donando la vita per te e per la salvezza dei fratelli, si conformino all'immagine di Cristo, e ti rendano sempre testimonianza di fede e di amore.

E noi, o Signore, insieme con tutti gli angeli e i santi, cantiamo con esultanza l'inno della tua lode: Santo...

Antifona alla comunione

Canterò in eterno l'amore del Signore, di generazione in generazione farò conoscere con la mia bocca la tua fedeltà.

Oppure:

Lo Spirito del Signore è sopra di me; mi ha mandato a portare ai poveri il lieto annuncio.

Dopo la comunione

Concedi, Dio onnipotente, che, rinnovati dai santi misteri, diffondiamo nel mondo il buon profumo di Cristo. Egli vive e regna nei secoli dei secoli.
℞. **Amen.**

Prima di concludere con la benedizione, il vescovo affida gli oli ai sacerdoti con queste parole o con altre simili:

Fratelli carissimi, da Cristo maestro, sacerdote e pastore, siamo stati chiamati all'ordine del presbiterato. In questa celebrazione eucaristica abbiamo voluto rinnovare il nostro impegno a vivere in maniera sempre più degna la vocazione ricevuta. Abbiamo, inoltre, benedetto il sacro crisma e l'olio dei catecumeni e degli infermi, per sottolineare il mistero della Chiesa come sacramento di Cristo, che santifica ogni realtà e situazione di vita.

A voi sacerdoti sono ora affidati perché, attraverso il vostro ministero, la grazia divina fluisca nelle anime e nei corpi, apportatrice di forza e vita. Rispettate, venerate e conservate con cura particolare questi oli, segni della grazia di Dio: le persone, i luoghi e le cose che saranno da essi segnati, possano risplendere della stessa santità di Dio.

TRIDUO PASQUALE

Il triduo pasquale, che celebra la passione e la risurrezione del Signore, è il vertice di tutto l'anno liturgico. Questo tempo, che va dalla messa vespertina del giovedì santo fino ai vespri della domenica di Risurrezione, è chiamato «il triduo del crocifisso, del sepolto e del risorto» (sant'Agostino), perché in questi giorni la Chiesa ricorda e fa rivivere gli eventi compiuti da Cristo per la nostra salvezza.

Il triduo è da considerarsi come un giorno solo che celebra l'unico e inscindibile mistero pasquale, che si snoda in tre momenti cronologici: crocifissione e morte del Cristo (venerdì santo); sepoltura (sabato santo) e risurrezione di Gesù (veglia pasquale e domenica di Pasqua). Fa da prologo la messa vespertina «nella cena del Signore» (giovedì santo). Ecco quindi lo schema delle varie celebrazioni:

– Giovedì santo: *messa vespertina «nella cena del Signore»; processione del Santissimo Sacramento; spogliazione dell'altare.*

– Venerdì santo: *liturgia della Parola con il racconto della passione e la preghiera universale; adorazione della santa croce; comunione eucaristica.*

– Sabato santo: *in questo giorno di attesa e di speranza si recita la liturgia delle Ore, senza altre celebrazioni.*

– Domenica di Risurrezione: *nella veglia pasquale nella notte santa si celebrano: la liturgia della luce e annuncio pasquale; la liturgia della Parola; la liturgia battesimale; la liturgia eucaristica. Nel giorno di Pasqua si celebra la messa nella Risurrezione del Signore e i vespri di Pasqua.*

GIOVEDÌ SANTO

MESSA VESPERTINA
NELLA CENA DEL SIGNORE

Il giovedì santo è un giorno ricco di sacre celebrazioni. In mattinata, nella cattedrale, il vescovo con il clero ha compiuto il solenne rito della messa crismale (cf. sopra, pp. 75-87); verso sera, in tutte le chiese, si celebra solennemente la messa, in cui il popolo cristiano fa memoria della cena del Signore e la rivive intensamente. In quella cena il Signore Gesù anticipa sacramentalmente la sua Pasqua di redenzione e istituisce il sacerdozio ministeriale, a cui affida il compito di rinnovare l'eucaristia sino alla fine dei tempi. «Fate questo in memoria di me», dice Gesù ai suoi apostoli; e dopo aver loro lavato i piedi li invita – e noi tutti con loro – a farsi servi di ogni uomo per amore: «Come ho fatto io, fate anche voi»!

Antifona d'ingresso

Non ci sia per noi altro vanto che nella croce del Signore nostro Gesù Cristo. Egli è nostra salvezza, vita e risurrezione; per mezzo di lui siamo stati salvati e liberati.

Durante il canto del Gloria *suonano le campane; poi non suoneranno più fino alla veglia pasquale.*

Colletta

O Dio, che ci hai riuniti per celebrare la santa Cena nella quale il tuo unico Figlio, prima di consegnarsi alla morte, affidò alla Chiesa il nuovo ed eterno sacrificio, convito nuziale del suo amore, fa' che dalla partecipazione a così grande mistero attingiamo pienezza di carità e di vita. Per il nostro Signore Gesù Cristo...

R. **Amen.**

Prima lettura

Prescrizioni per la cena pasquale.

La Pasqua degli ebrei era il memoriale della liberazione dalla schiavitù di Egitto. Il sangue del sacrificio significava l'alleanza di Dio con il suo popolo.

Dal libro dell'Èsodo   (12,1-8.11-14)

In quei giorni, il Signore disse a Mosè e ad Aronne in terra d'Egitto:

«Questo mese sarà per voi l'inizio dei mesi, sarà per voi il primo mese dell'anno. Parlate a tutta la comunità d'Israele e dite: "Il dieci di questo mese ciascuno si procuri un agnello per famiglia, un agnello per casa. Se la famiglia fosse troppo piccola per un agnello, si unirà al vicino, il più prossimo alla sua casa, secondo il numero delle persone; calcolerete come dovrà essere l'agnello secondo quanto ciascuno può mangiarne.

Il vostro agnello sia senza difetto, maschio, nato nell'anno; potrete sceglierlo tra le pecore o tra le capre e lo conserverete fino al quattordici di questo mese: allora tutta l'assemblea della comunità d'Israele lo immolerà al tramonto. Preso un po' del suo sangue, lo porranno sui due stipiti e sull'architrave delle case nelle quali lo mangeranno. In quella notte ne mangeranno la carne arrostita al fuoco; la mangeranno con azzimi e con erbe amare. Ecco in qual modo lo mangerete: con i fianchi cinti, i sandali ai piedi, il bastone in mano; lo mangerete in fretta. È la Pasqua del Signore!

In quella notte io passerò per la terra d'Egitto e

colpirò ogni primogenito nella terra d'Egitto, uomo o animale; così farò giustizia di tutti gli dèi dell'Egitto. Io sono il Signore! Il sangue sulle case dove vi troverete servirà da segno in vostro favore: io vedrò il sangue e passerò oltre; non vi sarà tra voi flagello di sterminio quando io colpirò la terra d'Egitto. Questo giorno sarà per voi un memoriale; lo celebrerete come festa del Signore: di generazione in generazione lo celebrerete come un rito perenne"».

— Parola di Dio.

℟. **Rendiamo grazie a Dio.**

Salmo responsoriale (dal Sal 115)

℟. *Il tuo calice, Signore, è dono di salvezza.*

Che cosa renderò al Signore
per tutti i benefici che mi ha fatto?
Alzerò il calice della salvezza
e invocherò il nome del Signore.   ℟.

Agli occhi del Signore è preziosa
la morte dei suoi fedeli.
Io sono tuo servo, figlio della tua schiava;
tu hai spezzato le mie catene.   ℟.

A te offrirò un sacrificio di ringraziamento
e invocherò il nome del Signore.
Adempirò i miei voti al Signore
davanti a tutto il suo popolo.   ℟.

Seconda lettura

Ogni volta che mangiate questo pane e bevete al calice, voi annunciate la morte del Signore.

San Paolo ci ricorda il significato della «cena del Signore»: essa è memoriale di Cristo e perpetuazione del suo sacrificio fino al suo ritorno.

Dalla prima lettera di san Paolo apostolo ai Corìnzi (11,23-26)

Fratelli, io ho ricevuto dal Signore quello che a mia volta vi ho trasmesso: il Signore Gesù, nella notte in cui veniva tradito, prese del pane e, dopo aver reso grazie, lo spezzò e disse: «Questo è il mio corpo, che è per voi; fate questo in memoria di me».

Allo stesso modo, dopo aver cenato, prese anche il calice, dicendo: «Questo calice è la Nuova Alleanza nel mio sangue; fate questo, ogni volta che ne bevete, in memoria di me».

Ogni volta infatti che mangiate questo pane e bevete al calice, voi annunciate la morte del Signore, finché egli venga.

— Parola di Dio.

℟. **Rendiamo grazie a Dio.**

Canto al Vangelo

Gloria e lode e onore a te, Cristo Signore!

Vi do un comandamento nuovo, dice il Signore: come io ho amato voi, così amatevi anche voi gli uni gli altri.

Gloria e lode e onore a te, Cristo Signore!

Vangelo

Li amò sino alla fine.

Il Vangelo ci presenta le esigenze di vita cristiana legate alla celebrazione eucaristica: atteggiamento di umiltà di fronte a Cristo e di servizio ai fratelli, nella carità.

✠ Dal Vangelo secondo Giovanni (13,1-15)

Prima della festa di Pasqua, Gesù, sapendo che

era venuta la sua ora di passare da questo mondo al Padre, avendo amato i suoi che erano nel mondo, li amò fino alla fine.

Durante la cena, quando il diavolo aveva già messo in cuore a Giuda, figlio di Simone Iscariota, di tradirlo, Gesù, sapendo che il Padre gli aveva dato tutto nelle mani e che era venuto da Dio e a Dio ritornava, si alzò da tavola, depose le vesti, prese un asciugamano e se lo cinse attorno alla vita. Poi versò dell'acqua nel catino e cominciò a lavare i piedi dei discepoli e ad asciugarli con l'asciugamano di cui si era cinto.

Venne dunque da Simon Pietro e questi gli disse: «Signore, tu lavi i piedi a me?». Rispose Gesù: «Quello che io faccio, tu ora non lo capisci; lo capirai dopo». Gli disse Pietro: «Tu non mi laverai i piedi in eterno!». Gli rispose Gesù: «Se non ti laverò, non avrai parte con me». Gli disse Simon Pietro: «Signore, non solo i miei piedi, ma anche le mani e il capo!». Soggiunse Gesù: «Chi ha fatto il bagno, non ha bisogno di lavarsi se non i piedi ed è tutto puro; e voi siete puri, ma non tutti». Sapeva infatti chi lo tradiva; per questo disse: «Non tutti siete puri».

Quando ebbe lavato loro i piedi, riprese le sue vesti, sedette di nuovo e disse loro: «Capite quello che ho fatto per voi? Voi mi chiamate il Maestro e il Signore, e dite bene, perché lo sono. Se dunque io, il Signore e il Maestro, ho lavato i piedi a voi, anche voi dovete lavare i piedi gli uni agli altri. Vi ho dato un esempio, infatti, perché anche voi facciate come io ho fatto a voi».

— Parola del Signore.

R. **Lode a te, o Cristo.**

LAVANDA DEI PIEDI

Dopo l'omelia, dove motivi pastorali lo consigliano, omesso il Credo, *il celebrante lava i piedi a dodici uomini o ragazzi. Durante questo rito si possono eseguire canti adatti oppure recitare insieme le seguenti antifone:*

Il Signore si alzò da tavola, versò dell'acqua nel catino e cominciò a lavare i piedi dei discepoli: a loro volle lasciare questo esempio.

Il Signore Gesù, durante la cena con i suoi discepoli, lavò loro i piedi e disse: «Capite quello che ho fatto per voi io, il Signore e il Maestro? Vi ho dato un esempio perché anche voi facciate come io ho fatto a voi».

Se io, il Signore e il Maestro, ho lavato i piedi a voi, anche voi dovete lavare i piedi gli uni agli altri.

«Da questo tutti sapranno che siete miei discepoli: se avete amore gli uni per gli altri».

«Vi do un comandamento nuovo: che vi amiate gli uni gli altri come io ho amato voi», dice il Signore.

Inno

℟. **Dov'è carità e amore, lì c'è Dio.**

Ci ha riuniti tutti insieme Cristo, amore.
Rallegriamoci, esultiamo nel Signore!
Temiamo e amiamo il Dio vivente,
e amiamoci tra noi con cuore sincero.   ℟.

Noi formiamo qui riuniti un solo corpo:
evitiamo di dividerci tra noi;
via le lotte maligne, via le liti,
e regni in mezzo a noi Cristo Dio.   ℟.

Fa' che un giorno contempliamo il tuo volto
nella gloria dei beati, Cristo Dio.
E sarà gioia immensa, gioia vera:
durerà per tutti i secoli senza fine. ℟.

Si può scegliere anche Ubi caritas, *a p. 281.*

Preghiera dei fedeli

Fratelli e sorelle, la Chiesa continua a celebrare il
sacramento che Cristo le ha affidato nel cenacolo,
mentre sedeva a mensa con i suoi discepoli. Educati a questa scuola di sapienza e di carità, imploriamo il Signore perché nell'eucaristia ci dia la
certezza della sua presenza accanto a noi. Invochiamo:

℟. **Ascoltaci, o Signore!**

— Signore Gesù, tu chiami fra il tuo popolo chi si
impegna nel servizio. Fa' che tutti i tuoi ministri
siano sempre disponibili e totalmente disinteressati, soprattutto quando si curano dei poveri
e dei sofferenti, ti preghiamo. ℟.

— Signore Gesù, affidiamo a te tutti coloro che
sono morti per la testimonianza della fede e
nella diffusione del tuo regno. Infondi in tutti
noi il coraggio della verità e la passione per la
pace, perché il sangue sparso sia seme di nuovi cristiani, ti preghiamo. ℟.

— Signore Gesù, istituendo l'eucaristia ci hai voluto mostrare come si condividono i dolori
dell'uomo. Solleva quanti gemono nella solitudine e nella malattia; dona speranza ai genitori, illumina i ragazzi che si preparano ai sa-

cramenti e i giovani perché ritrovino fiducia, ti preghiamo. ℟.

— Signore Gesù, ricordando oggi il tuo testamento di amore per noi, fa' che riunendoci per la celebrazione eucaristica, impariamo a fare la tua volontà e attingiamo da questa mensa la forza per divenire tuoi veri amici, ti preghiamo. ℟.

Accogli, Padre, le nostre invocazioni. Nel Signore Gesù, che ha lavato i piedi agli apostoli, ci hai dato l'esempio di come possiamo e dobbiamo amarci di vero cuore. Rendici perseveranti nella dedizione a te e ai fratelli per essere riconosciuti tuoi figli, oggi e quando incontreremo il Cristo alla mensa del tuo regno, dove vive e regna nei secoli dei secoli.

℟. **Amen.**

LITURGIA EUCARISTICA

Si può disporre la processione offertoriale portando doni per i poveri. Mentre si svolge la processione si esegua un canto adatto.

Sulle offerte

Concedi a noi tuoi fedeli, o Padre, di partecipare con viva fede ai santi misteri, perché ogni volta che celebriamo questo memoriale del sacrificio del tuo Figlio, si compie l'opera della nostra redenzione. Per Cristo nostro Signore.

℟. **Amen.**

Prefazio

È veramente cosa buona e giusta, nostro dovere e fonte di salvezza, rendere grazie sempre e in ogni luogo a te, Signore, Padre santo, Dio onnipotente ed eterno, per Cristo nostro Signore.

Sacerdote vero ed eterno, egli istituì il rito del sacrificio perenne; a te per primo si offrì vittima di salvezza, e comandò a noi di compiere l'offerta in sua memoria.

Il suo Corpo per noi immolato è nostro cibo e ci dà forza, il suo Sangue per noi versato è la bevanda che ci redime da ogni colpa.

Per questo mistero di salvezza, il cielo e la terra si uniscono in un cantico nuovo di adorazione e di lode, e noi, con tutti gli angeli del cielo, proclamiamo senza fine la tua gloria: **Santo...**

Antifona alla comunione

«Questo è il mio Corpo, che è per voi; questo calice è la nuova alleanza nel mio Sangue», dice il Signore. «Ogni volta che ne mangiate e ne bevete, fate questo in memoria di me».

Oppure:

Il Signore Gesù, sapendo che era venuta la sua ora di passare da questo mondo al Padre, avendo amato i suoi che erano nel mondo, li amò fino alla fine.

Dopo la distribuzione della santa eucaristia, si lascia sull'altare la pisside con le particole, che alla fine verrà portata in processione all'altare della reposizione.

Dopo la comunione

Padre onnipotente, che nella vita terrena ci nutri alla Cena del tuo Figlio, accoglici come tuoi commensali al banchetto glorioso del cielo. Per Cristo nostro Signore.

℟. **Amen.**

REPOSIZIONE
DEL SANTISSIMO SACRAMENTO

Dopo l'orazione, il diacono o un altro ministro, può fare questa monizione:

Il pane consacrato in questa cena del Signore viene ora portato all'altare della reposizione e conservato per la nostra comunione di domani. Seguiamo, cantando, la processione e poi sostiamo in veglia di adorazione presso l'altare, lodando Dio Padre, ringraziando il Figlio, chiedendo lo Spirito Santo. Gustiamo così il dono dell'eucaristia che è presenza e forza viva di Dio tra di noi.

Il sacerdote, portando la pisside con le ostie consacrate, accompagnato dai ministri, si reca in processione all'altare della reposizione, mentre si esegue un canto eucaristico, per esempio il «Pange lingua» (cf. in Appendice, pp. 281-282), qui tradotto.

1. Genti tutte proclamate
il mistero del Signor,
del suo corpo e del suo sangue
che la Vergine donò
e fu sparso in sacrificio
per salvar l'umanità.

2. Dato a noi da madre pura,
   per noi tutti s'incarnò.
   La feconda sua parola
   tra le genti seminò;
   con amore generoso
   la sua vita consumò.

3. Nella notte della cena
   coi fratelli si trovò.
   Del pasquale sacro rito
   ogni regola compì
   e agli apostoli ammirati
   come cibo si donò.

4. La parola del Signore
   pane e vino trasformò:
   pane in carne, vino in sangue,
   in memoria consacrò.
   Non i sensi, ma la fede
   prova questa verità.

5. Adoriamo il sacramento
   che Dio Padre ci donò.
   Nuovo patto, nuovo rito
   nella fede si compì.
   Al mistero è fondamento
   la parola di Gesù.

6. Gloria al Padre onnipotente,
   gloria al Figlio redentor,
   lode grande, sommo onore
   all'eterna Carità.
   Gloria immensa, eterno amore
   alla santa Trinità. Amen.

I fedeli sono invitati ad adorare il santissimo Sacramento anche fino a notte inoltrata.

VENERDÌ SANTO
NELLA PASSIONE DEL SIGNORE

La Chiesa ci riunisce oggi misticamente sul Calvario per presentarci, prima in figura profetica e poi nella sua realtà storica, la passione e la morte redentrice di Gesù; offre poi la croce e il Crocifisso alla nostra adorazione e al bacio del perdono e dell'amore. Ci dona, infine, da mangiare il corpo del Cristo crocifisso, perché possiamo partecipare in massimo grado ai frutti delle sue sofferenze e della sua morte in attesa di risorgere con lui nella gloria.
In questo giorno e nel giorno seguente la Chiesa, per antichissima tradizione, non celebra l'eucaristia. L'azione liturgica della passione del Signore si svolge verso le tre del pomeriggio, o in ora adatta prima dell'imbrunire.

INGRESSO E PROSTRAZIONE

Il celebrante e i ministri, dopo una prolungata prostrazione davanti all'altare in silenziosa preghiera, si recano alla sede. Ivi il celebrante recita una delle seguenti preghiere:

Orazione

Ricordati, o Padre, della tua misericordia e santifica con eterna protezione i tuoi fedeli, per i quali Cristo, tuo Figlio, ha istituito nel suo sangue il mistero pasquale. Egli vive e regna nei secoli dei secoli.

℟. **Amen.**

Oppure:

O Dio, che nella passione di Cristo nostro Signore ci hai liberati dalla morte, eredità dell'antico peccato trasmessa a tutto il genere umano, rinnovaci a somiglianza del tuo Figlio; e come abbiamo portato in noi, per la nostra nascita, l'immagine dell'uomo terreno, così per l'azione del tuo Spirito fa' che portiamo l'immagine dell'uomo celeste. Per Cristo nostro Signore.

℟. **Amen.**

LITURGIA DELLA PAROLA

Prima lettura

Egli è stato trafitto per le nostre colpe.

Cristo è il «Servo di Dio» che si è addossato il peccato degli uomini e ne ha portato le conseguenze fino all'estremo sacrificio di sé. Dalla sua morte però nascerà un popolo nuovo, la Chiesa.

Dal libro del profeta Isaìa (52,13-53,12)

Ecco, il mio servo avrà successo, sarà onorato, esaltato e innalzato grandemente. Come molti si stupirono di lui – tanto era sfigurato per essere d'uomo il suo aspetto e diversa la sua forma da quella dei figli dell'uomo –, così si meraviglieranno di lui molte nazioni; i re davanti a lui si chiuderanno la bocca, poiché vedranno un fatto mai a essi raccontato e comprenderanno ciò che mai avevano udito. Chi avrebbe creduto al nostro annuncio? A chi sarebbe stato manifestato il braccio del Signore?

È cresciuto come un virgulto davanti a lui e come una radice in terra arida. Non ha apparenza né bellezza per attirare i nostri sguardi, non splendore per poterci piacere. Disprezzato e reietto dagli uomini, uomo dei dolori che ben conosce il patire, come uno davanti al quale ci si copre la faccia; era disprezzato e non ne avevamo alcuna stima.

Eppure egli si è caricato delle nostre sofferenze, si è addossato i nostri dolori; e noi lo giudicavamo castigato, percosso da Dio e umiliato. Egli è stato trafitto per le nostre colpe, schiacciato per le nostre iniquità. Il castigo che ci dà salvezza si è abbattuto su di lui; per le sue piaghe noi siamo stati guariti.

Noi tutti eravamo sperduti come un gregge, ognuno di noi seguiva la sua strada; il Signore fece ricadere su di lui l'iniquità di noi tutti. Maltrattato, si lasciò umiliare e non aprì la sua bocca; era come agnello condotto al macello, come pecora muta di fronte ai suoi tosatori, e non aprì la sua bocca.

Con oppressione e ingiusta sentenza fu tolto di mezzo; chi si affligge per la sua posterità? Sì, fu eliminato dalla terra dei viventi, per la colpa del mio popolo fu percosso a morte. Gli si diede sepoltura con gli empi, con il ricco fu il suo tùmulo, sebbene non avesse commesso violenza né vi fosse inganno nella sua bocca.

Ma al Signore è piaciuto prostrarlo con dolori. Quando offrirà se stesso in sacrificio di riparazione, vedrà una discendenza, vivrà a lungo, si compirà per mezzo suo la volontà del Signore. Dopo il suo intimo tormento vedrà la luce e si sazierà della sua conoscenza; il giusto mio servo giustificherà molti, egli si addosserà le loro iniquità.

Perciò io gli darò in premio le moltitudini, dei potenti egli farà bottino, perché ha spogliato se stesso fino alla morte ed è stato annoverato fra gli empi, mentre egli portava il peccato di molti e intercedeva per i colpevoli.

— Parola di Dio.

℟. **Rendiamo grazie a Dio.**

Salmo responsoriale   (dal Sal 30)

℟. *Padre, nelle tue mani consegno il mio spirito.*

In te, Signore, mi sono rifugiato,
mai sarò deluso;
difendimi per la tua giustizia.
Alle tue mani affido il mio spirito;
tu mi hai riscattato, Signore, Dio fedele.   ℟.

Sono il rifiuto dei miei nemici
e persino dei miei vicini,
il terrore dei miei conoscenti;
chi mi vede per strada mi sfugge.
Sono come un morto, lontano dal cuore;
sono come un coccio da gettare.   ℟.

Ma io confido in te, Signore;
dico: «Tu sei il mio Dio,
i miei giorni sono nelle tue mani».
Liberami dalla mano dei miei nemici
e dai miei persecutori.   ℟.

Sul tuo servo fa' splendere il tuo volto,
salvami per la tua misericordia.
Siate forti, rendete saldo il vostro cuore,
voi tutti che sperate nel Signore.   ℟.

Seconda lettura

Cristo imparò l'obbedienza e divenne causa di salvezza per tutti coloro che gli obbediscono.

Con la sua obbedienza sacrificale Cristo ha liberato il mondo dal peccato. Accostiamoci a lui con la fiducia di ottenere misericordia.

Dalla lettera agli Ebrei   (4,14-16; 5,7-9)

Fratelli, poiché abbiamo un sommo sacerdote grande, che è passato attraverso i cieli, Gesù il Figlio di Dio, manteniamo ferma la professione della fede. Infatti non abbiamo un sommo sacerdote che non sappia prendere parte alle nostre debolezze: egli stesso è stato messo alla prova in ogni cosa come noi, escluso il peccato.
Accostiamoci dunque con piena fiducia al trono della grazia per ricevere misericordia e trovare grazia, così da essere aiutati al momento opportuno. [Cristo, infatti,] nei giorni della sua vita terrena, offrì preghiere e suppliche, con forti grida e lacrime, a Dio che poteva salvarlo da morte e, per il suo pieno abbandono a lui, venne esaudito. Pur essendo Figlio, imparò l'obbedienza da ciò che patì e, reso perfetto, divenne causa di salvezza eterna per tutti coloro che gli obbediscono.
— Parola di Dio.
℟. **Rendiamo grazie a Dio.**

Canto al Vangelo

Gloria e lode a te, Cristo Signore!
Per noi Cristo si è fatto obbediente fino alla morte e a una morte di croce. Per questo Dio lo esaltò e gli donò il nome che è al di sopra di ogni nome.
Gloria e lode a te, Cristo Signore!

Vangelo

Passione del Signore.

Giovanni, testimone oculare della passione del Signore, fa trasparire dalla narrazione la gloria della sua divinità: essa avrà la più alta manifestazione nella risurrezione.

Nella lettura dialogata si associano al sacerdote che presiede (testi segnati con ✠) altri due lettori: il cronista narrante (L) e le altre voci (A).

✠ **Passione di nostro Signore Gesù Cristo secondo Giovanni**   (18,1-19,42)

L In quel tempo, Gesù uscì con i suoi discepoli al di là del torrente Cèdron, dove c'era un giardino, nel quale entrò con i suoi discepoli. Anche Giuda, il traditore, conosceva quel luogo, perché Gesù spesso si era trovato là con i suoi discepoli. Giuda dunque vi andò, dopo aver preso un gruppo di soldati e alcune guardie fornite dai capi dei sacerdoti e dai farisei, con lanterne, fiaccole e armi. Gesù allora, sapendo tutto quello che doveva accadergli, si fece innanzi e disse loro:

✠ «Chi cercate?».

L Gli risposero:

A «Gesù, il Nazareno».

L Disse loro Gesù:

✠ «Sono io!».

L Vi era con loro anche Giuda, il traditore. Appena disse loro «Sono io», indietreggiarono e caddero a terra. Domandò loro di nuovo:

✠ «Chi cercate?».

L Risposero:

A «Gesù, il Nazareno».

L Gesù replicò:

✠ «Vi ho detto: sono io. Se dunque cercate me, lasciate che questi se ne vadano»,

L perché si compisse la parola che egli aveva detto: «Non ho perduto nessuno di quelli che mi hai dato». Allora Simon Pietro, che aveva una spada, la trasse fuori, colpì il servo del sommo sacerdote e gli tagliò l'orecchio destro. Quel servo si chiamava Malco. Gesù allora disse a Pietro:

✠ «Rimetti la spada nel fodero: il calice che il Padre mi ha dato, non dovrò berlo?».

L Allora i soldati, con il comandante e le guardie dei Giudei, catturarono Gesù, lo legarono e lo condussero prima da Anna: egli infatti era suocero di Caifa, che era sommo sacerdote quell'anno. Caifa era quello che aveva consigliato ai Giudei: «È conveniente che un solo uomo muoia per il popolo».

Intanto Simon Pietro seguiva Gesù insieme a un altro discepolo. Questo discepolo era conosciuto dal sommo sacerdote ed entrò con Gesù nel cortile del sommo sacerdote. Pietro invece si fermò fuori, vicino alla porta. Allora quell'altro discepolo, noto al sommo sacerdote, tornò fuori, parlò alla portinaia e fece entrare Pietro. E la giovane portinaia disse a Pietro:

A «Non sei anche tu uno dei discepoli di quest'uomo?».

L Egli rispose:

A «Non lo sono».

L Intanto i servi e le guardie avevano acceso un fuoco, perché faceva freddo, e si scaldavano; anche Pietro stava con loro e si scaldava.

Il sommo sacerdote, dunque, interrogò Gesù riguardo ai suoi discepoli e al suo insegnamento. Gesù gli rispose:

✠ «Io ho parlato al mondo apertamente; ho sempre insegnato nella sinagoga e nel tempio, dove tutti i Giudei si riuniscono, e non ho mai detto nulla di nascosto. Perché interroghi me? Interroga quelli che hanno udito ciò che ho detto loro; ecco, essi sanno che cosa ho detto».

L Appena detto questo, una delle guardie presenti diede uno schiaffo a Gesù, dicendo:

A «Così rispondi al sommo sacerdote?».

L Gli rispose Gesù:

✠ «Se ho parlato male, dimostrami dov'è il male. Ma se ho parlato bene, perché mi percuoti?».

L Allora Anna lo mandò, con le mani legate, a Caifa, il sommo sacerdote.

Intanto Simon Pietro stava lì a scaldarsi. Gli dissero:

A «Non sei anche tu uno dei suoi discepoli?».

L Egli lo negò e disse:

A «Non lo sono».

L Ma uno dei servi del sommo sacerdote, parente di quello a cui Pietro aveva tagliato l'orecchio, disse:

A «Non ti ho forse visto con lui nel giardino?».

L Pietro negò di nuovo, e subito un gallo cantò.

Condussero poi Gesù dalla casa di Caifa nel pretorio. Era l'alba ed essi non vollero entrare nel pretorio, per non contaminarsi e poter mangiare la Pasqua. Pilato dunque uscì verso di loro e domandò:

A «Che accusa portate contro quest'uomo?».

L Gli risposero:

A «Se costui non fosse un malfattore, non te l'avremmo consegnato».

L Allora Pilato disse loro:

A «Prendetelo voi e giudicatelo secondo la vostra Legge!».

L Gli risposero i Giudei:

A «A noi non è consentito mettere a morte nessuno».

L Così si compivano le parole che Gesù aveva detto, indicando di quale morte doveva morire. Pilato allora rientrò nel pretorio, fece chiamare Gesù e gli disse:

A «Sei tu il re dei Giudei?».

L Gesù rispose:

✠ «Dici questo da te, oppure altri ti hanno parlato di me?».

L Pilato disse:

A «Sono forse io Giudeo? La tua gente e i capi dei sacerdoti ti hanno consegnato a me. Che cosa hai fatto?».

L Rispose Gesù:

✠ «Il mio regno non è di questo mondo; se il mio regno fosse di questo mondo, i miei servitori avrebbero combattuto perché non fossi consegnato ai Giudei; ma il mio regno non è di quaggiù».

L Allora Pilato gli disse:

A «Dunque tu sei re?».

L Rispose Gesù:

✠ «Tu lo dici: io sono re. Per questo io sono nato e per questo sono venuto nel mondo: per dare testimonianza alla verità. Chiunque è dalla verità, ascolta la mia voce».

L Gli dice Pilato:

A «Che cos'è la verità?».

L E, detto questo, uscì di nuovo verso i Giudei e disse loro:

A «Io non trovo in lui colpa alcuna. Vi è tra voi l'usanza che, in occasione della Pasqua, io rimetta uno in libertà per voi: volete dunque che io rimetta in libertà per voi il re dei Giudei?».

L Allora essi gridarono di nuovo:

A «Non costui, ma Barabba!».

L Barabba era un brigante.

Allora Pilato fece prendere Gesù e lo fece flagellare. E i soldati, intrecciata una corona di spine, gliela posero sul capo e gli misero addosso un mantello di porpora. Poi gli si avvicinavano e dicevano:

A «Salve, re dei Giudei!».

L E gli davano schiaffi. Pilato uscì fuori di nuovo e disse loro:

A «Ecco, io ve lo conduco fuori, perché sappiate che non trovo in lui colpa alcuna».

L Allora Gesù uscì, portando la corona di spine e il mantello di porpora. E Pilato disse loro:

A «Ecco l'uomo!».

L Come lo videro, i capi dei sacerdoti e le guardie gridarono:

A «Crocifiggilo! Crocifiggilo!».

L Disse loro Pilato:

A «Prendetelo voi e crocifiggetelo; io in lui non trovo colpa».

L Gli risposero i Giudei:

A «Noi abbiamo una Legge e secondo la Legge deve morire, perché si è fatto Figlio di Dio».

L All'udire queste parole, Pilato ebbe ancor più paura. Entrò di nuovo nel pretorio e disse a Gesù:

A «Di dove sei tu?».

L Ma Gesù non gli diede risposta. Gli disse allora Pilato:

A «Non mi parli? Non sai che ho il potere di metterti in libertà e il potere di metterti in croce?».

L Gli rispose Gesù:

✠ «Tu non avresti alcun potere su di me, se ciò non ti fosse stato dato dall'alto. Per questo chi mi ha consegnato a te ha un peccato più grande».

L Da quel momento Pilato cercava di metterlo in libertà. Ma i Giudei gridarono:

A «Se liberi costui, non sei amico di Cesare! Chiunque si fa re si mette contro Cesare».

L Udite queste parole, Pilato fece condurre fuori Gesù e sedette in tribunale, nel luogo chiamato Litòstroto, in ebraico Gabbatà. Era la Parascève della Pasqua, verso mezzogiorno. Pilato disse ai Giudei:

A «Ecco il vostro re!».

L Ma quelli gridarono:

A «Via! Via! Crocifiggilo!».

L Disse loro Pilato:

A «Metterò in croce il vostro re?».

L Risposero i capi dei sacerdoti:

A «Non abbiamo altro re che Cesare».

L Allora lo consegnò loro perché fosse crocifisso. Essi presero Gesù ed egli, portando la croce, si avviò verso il luogo detto del Cranio, in ebraico Gòlgota, dove lo crocifissero e con lui altri due, uno da una parte e uno dall'altra, e Gesù in mezzo. Pilato compose anche l'iscrizione e la fece porre sulla croce; vi era scritto: «Gesù il Nazareno, il re dei Giudei». Molti Giudei lessero questa iscrizione, perché il luogo dove Gesù fu crocifisso era vicino alla città; era scritta in ebraico, in latino e in greco. I capi dei sacerdoti dei Giudei dissero allora a Pilato:

A «Non scrivere: "Il re dei Giudei", ma: "Costui ha detto: Io sono il re dei Giudei"».

L Rispose Pilato:

A «Quel che ho scritto, ho scritto».

L I soldati poi, quando ebbero crocifisso Gesù, presero le sue vesti, ne fecero quattro parti – una per ciascun soldato –, e la tunica. Ma quella tunica era senza cuciture, tessuta tutta d'un pezzo da cima a fondo. Perciò dissero tra loro:

A «Non stracciamola, ma tiriamo a sorte a chi tocca».

L Così si compiva la Scrittura, che dice: «Si sono divisi tra loro le mie vesti e sulla mia tunica hanno gettato la sorte». E i soldati fecero così.

Stavano presso la croce di Gesù sua madre, la sorella di sua madre, Maria madre di Clèopa e Maria di Màgdala. Gesù allora, vedendo la madre e accanto a lei il discepolo che egli amava, disse alla madre:

✠ «Donna, ecco tuo figlio!».

L Poi disse al discepolo:

✠ «Ecco tua madre!».

L E da quell'ora il discepolo l'accolse con sé. Dopo questo, Gesù, sapendo che ormai tutto era compiuto, affinché si compisse la Scrittura, disse:

✠ «Ho sete».

L Vi era lì un vaso pieno di aceto; posero perciò una spugna, imbevuta di aceto, in cima a una canna e gliela accostarono alla bocca. Dopo aver preso l'aceto, Gesù disse:

✠ «È compiuto!».

L E, chinato il capo, consegnò lo spirito.

[Qui si genuflette e si fa una breve pausa]

L Era il giorno della Parascève e i Giudei, perché i corpi non rimanessero sulla croce durante il sabato – era infatti un giorno solenne quel sabato –, chiesero a Pilato che fossero spezzate loro le gambe e fossero portati via. Vennero dunque i soldati e spezzarono le gambe all'uno e all'altro che erano stati crocifissi insieme con lui. Venuti però da Gesù, vedendo che era già morto, non gli spezzarono le gambe, ma uno dei soldati con una lancia gli colpì il fianco, e subito ne uscì sangue e acqua. Chi ha visto ne dà testimonianza e la sua testimonianza è vera; egli sa che dice il vero, perché anche voi crediate. Questo infatti avvenne perché si compisse la Scrittura: «Non gli sarà spezzato alcun osso». E un altro passo della Scrittura dice ancora: «Volgeranno lo sguardo a colui che hanno trafitto».

Dopo questi fatti Giuseppe di Arimatèa, che era discepolo di Gesù, ma di nascosto, per timore dei Giudei, chiese a Pilato di prendere il corpo di Gesù. Pilato lo concesse. Allora egli andò e prese il corpo di Gesù. Vi andò anche Nicodèmo – quello che in precedenza era andato da lui di notte – e portò circa trenta chili di una mistura di mirra e di àloe. Essi presero allora il corpo di Gesù e lo avvolsero con teli, insieme ad aromi, come usano fare i Giudei per preparare la sepol-

tura. Ora, nel luogo dove era stato crocifisso, vi
era un giardino e nel giardino un sepolcro nuovo,
nel quale nessuno era stato ancora posto. Là dunque, poiché era il giorno della Parascève dei Giudei e dato che il sepolcro era vicino, posero Gesù.
— Parola del Signore.

℟. **Lode a te, o Cristo.**

PREGHIERA UNIVERSALE

*La liturgia della Parola si conclude con la preghiera uni-
versale. Il diacono o un sacerdote dall'ambone pronuncia l'esortazione con la quale viene indicata l'intenzione
di preghiera; quindi tutti pregano per qualche istante in
silenzio; poi il celebrante, con le braccia allargate, recita
l'orazione.*

Per la santa Chiesa

Diacono: Preghiamo, fratelli e sorelle, per la santa
Chiesa di Dio. Il Signore le conceda unità e pace,
la protegga su tutta la terra, e doni a noi, in una
vita serena e sicura, di rendere gloria a Dio Padre
onnipotente.

Preghiera in silenzio; poi il celebrante continua:

Dio onnipotente ed eterno, che hai rivelato in Cristo la tua gloria a tutte le genti, custodisci l'opera
della tua misericordia, perché la tua Chiesa, diffusa su tutta la terra, perseveri con fede salda nella confessione del tuo nome. Per Cristo nostro
Signore.

℟. **Amen.**

Per il papa

Diacono: **Preghiamo per il nostro santo padre il papa** N. Il Signore Dio nostro, che lo ha scelto nell'ordine episcopale, gli conceda vita e salute e lo conservi alla sua santa Chiesa come guida e pastore del popolo santo di Dio.

Preghiera in silenzio; poi il celebrante continua:

Dio onnipotente ed eterno, sapienza che regge l'universo, ascolta la tua famiglia in preghiera, e custodisci con la tua bontà il papa che tu hai scelto per noi, perché il popolo cristiano, da te affidato alla sua guida pastorale, progredisca sempre nella fede. Per Cristo nostro Signore.

℟. **Amen.**

Per tutti i fedeli di ogni ordine e grado

Diacono: **Preghiamo per il nostro vescovo** N., per tutti i vescovi, i presbiteri e i diaconi, e per tutto il popolo dei fedeli.

Preghiera in silenzio; poi il celebrante continua:

Dio onnipotente ed eterno, che con il tuo Spirito guidi e santifichi tutto il corpo della Chiesa, accogli le preghiere che ti rivolgiamo, perché secondo il dono della tua grazia tutti i membri della comunità nel loro ordine e grado ti possano fedelmente servire. Per Cristo nostro Signore.

℟. **Amen.**

Per i catecumeni

Diacono: **Preghiamo per i [nostri] catecumeni.** Il Signore Dio apra i loro cuori all'ascolto e dischiuda la porta della misericordia, perché mediante il lavacro di rigenerazione ricevano il perdono di tutti i peccati e siano incorporati in Cristo Gesù, Signore nostro.

Preghiera in silenzio; poi il celebrante continua:

Dio onnipotente ed eterno, che rendi la tua Chiesa sempre feconda di nuovi figli, aumenta nei [nostri] catecumeni l'intelligenza della fede, perché, nati a vita nuova nel fonte battesimale, siano accolti fra i tuoi figli di adozione. Per Cristo nostro Signore.

℟ **Amen.**

Per l'unità dei cristiani

Diacono: **Preghiamo per tutti i fratelli e le sorelle che credono in Cristo. Il Signore Dio nostro raduni e custodisca nell'unica sua Chiesa quanti testimoniano la verità con le loro opere.**

Preghiera in silenzio; poi il celebrante continua:

Dio onnipotente ed eterno, che raduni i tuoi figli ovunque dispersi e li custodisci nell'unità, volgi lo sguardo al gregge del tuo Figlio, perché coloro che sono stati consacrati da un solo Battesimo siano una cosa sola nell'integrità della fede e nel vincolo dell'amore. Per Cristo nostro Signore.

℟ **Amen.**

Per gli Ebrei

Diacono: **Preghiamo per gli Ebrei. Il Signore Dio nostro, che a loro per primi ha rivolto la sua parola, li aiuti a progredire sempre nell'amore del suo nome e nella fedeltà alla sua alleanza.**

Preghiera in silenzio; poi il celebrante continua:

Dio onnipotente ed eterno, che hai affidato le tue promesse ad Abramo e alla sua discendenza, esaudisci con bontà le preghiere della tua Chiesa, perché il popolo primogenito della tua alleanza possa giungere alla pienezza della redenzione. Per Cristo nostro Signore.

R. **Amen.**

Per coloro che non credono in Cristo

Diacono: **Preghiamo per coloro che non credono in Cristo. Illuminati dallo Spirito Santo, possano anch'essi entrare nella via della salvezza.**

Preghiera in silenzio; poi il celebrante continua:

Dio onnipotente ed eterno, dona a coloro che non credono in Cristo di trovare la verità camminando alla tua presenza con cuore sincero, e concedi a noi di essere nel mondo testimoni più autentici della tua carità, progredendo nell'amore vicendevole e nella piena conoscenza del mistero della tua vita. Per Cristo nostro Signore.

R. **Amen.**

Per coloro che non credono in Dio

Diacono: **Preghiamo per coloro che non credono in Dio. Praticando la giustizia con cuore sincero, giungano alla conoscenza del vero Dio.**

Preghiera in silenzio; poi il celebrante continua:

Dio onnipotente ed eterno, tu hai messo nel cuore degli uomini una così profonda nostalgia di te che solo quando ti trovano hanno pace: fa' che, tra le difficoltà della vita, tutti riconoscano i segni della tua bontà e, stimolati dalla nostra testimonianza, abbiano la gioia di credere in te, unico vero Dio e Padre di tutti gli uomini. Per Cristo nostro Signore.

℟ **Amen.**

Per i governanti

Diacono: **Preghiamo per coloro che sono chiamati a governare la comunità civile. Il Signore Dio nostro illumini la loro mente e il loro cuore a cercare il bene comune nella vera libertà e nella vera pace.**

Preghiera in silenzio; poi il celebrante continua:

Dio onnipotente ed eterno, nelle tue mani sono le speranze degli uomini e i diritti di ogni popolo: assisti con la tua sapienza coloro che ci governano, perché, con il tuo aiuto, promuovano su tutta la terra una pace duratura, la prosperità dei popoli e la libertà religiosa. Per Cristo nostro Signore.

℟ **Amen.**

Per quanti sono nella prova

Diacono: **Preghiamo, fratelli e sorelle, Dio Padre onnipotente, perché purifichi il mondo dagli errori, allontani le malattie, vinca la fame, renda la libertà ai prigionieri, spezzi le catene, conceda sicurezza a chi viaggia, il ritorno ai lontani da casa, la salute agli ammalati e ai morenti la salvezza eterna.**

Preghiera in silenzio; poi il celebrante continua:

Dio onnipotente ed eterno, consolazione degli afflitti, sostegno dei sofferenti, ascolta il grido di coloro che sono nella prova, perché tutti nelle loro necessità sperimentino la gioia di aver trovato il soccorso della tua misericordia. Per Cristo nostro Signore.

℟ **Amen.**

ADORAZIONE DELLA CROCE

*Terminata la preghiera universale, il diacono o, in sua
assenza, il celebrante porta all'altare la croce, coperta da
un velo. Togliendo il velo, invita tutti i presenti all'adorazione dicendo per tre volte:*

Ecco il legno della Croce, al quale fu appeso il
Cristo, Salvatore del mondo.

℟. **Venite, adoriamo.**

*Tutti si recano all'adorazione della croce facendo una
genuflessione davanti e baciandola. Mentre si svolge l'a-
dorazione, si eseguono i seguenti canti o altri adatti.*

℟. *Ti adoriamo, o Cristo, e ti benediciamo,
perché con la tua santa Croce
hai redento il mondo.*

℣. Adoriamo la tua Croce, Signore,
lodiamo e glorifichiamo
la tua santa risurrezione.
Dal legno della Croce
è venuta la gioia in tutto il mondo. ℟.

℣. Dio abbia pietà di noi e ci benedica:
su di noi faccia splendere il suo volto
e abbia misericordia di noi (cf. Sal 66,2). ℟.

Lamenti del Signore

*Questi «lamenti» possono essere proclamati da un soli-
sta, intercalati dal ritornello oppure dal canto «Ti adoriamo, o Cristo».*

℟. *Popolo mio, che male ti ho fatto?
In che ti ho provocato? Dammi risposta.*

Oppure:

℟. *Santo sei, Dio! Santo sei, Onnipotente!*

Santo sei, Immortale: abbi pietà di noi!

Io ti ho guidato fuori dall'Egitto, e tu hai preparato la Croce al tuo Salvatore.   ℟.

Io ti ho guidato per quarant'anni nel deserto, ti ho sfamato con manna, ti ho introdotto in un paese fecondo, e tu hai preparato la Croce al tuo Salvatore.   ℟.

Che altro avrei dovuto fare e non ti ho fatto? Io ti ho piantato, mia scelta e florida vigna, ma tu mi sei divenuta aspra e amara: poiché mi hai spento la sete con aceto e hai piantato una lancia nel petto del tuo Salvatore.   ℟.

Io per te ho flagellato l'Egitto e i suoi primogeniti, e tu mi hai consegnato per esser flagellato.   ℟.

Io ti ho guidato fuori dall'Egitto e ho sommerso il faraone nel Mar Rosso, e tu mi hai consegnato ai capi dei sacerdoti.   ℟.

Io ho aperto davanti a te il mare, e tu mi hai aperto con la lancia il costato.   ℟.

Io ti ho fatto strada con la nube luminosa, e tu mi hai condotto al pretorio di Pilato.   ℟.

Io ti ho nutrito con manna nel deserto, e tu mi hai colpito con schiaffi e flagelli.   ℟.

Io ti ho dissetato dalla rupe con acqua di salvezza, e tu mi hai dissetato con fiele e aceto.   ℟.

Io per te ho colpito i re dei Cananei, e tu con la canna hai colpito il mio capo.   ℟.

Io ti ho posto in mano uno scettro regale, e tu hai posto sul mio capo una corona di spine.   ℟.

Io ti ho esaltato con grande potenza, e tu mi hai
sospeso al patibolo della croce.   ℟.

Inno

O croce fedele e gloriosa,
o albero nobile e santo,
un altro non v'è nella selva,
di rami e di fronde a te uguale:
tu sei il dolce legno che porta
appeso il Signore del mondo.

Esalti ogni lingua nel canto
lo scontro e la grande vittoria,
e sopra il trofeo della Croce
proclami quel grande trionfo,
poiché il redentore del mondo
fu ucciso e ha vinto la morte.

Pietoso il Signore rivolse
lo sguardo al peccato di Adamo:
quando egli del frutto proibito
gustò e la morte lo colse,
un albero scelse a rimedio
del male dell'albero antico.

LITURGIA DELLA COMUNIONE

*Finita l'adorazione della croce, viene stesa una tovaglia
sull'altare. Nel frattempo il diacono o il celebrante porta
il santissimo sacramento dal luogo della reposizione.
Quindi il celebrante invita i fedeli a prepararsi alla comunione.*

Obbedienti alla parola del Salvatore e formati al
suo divino insegnamento, osiamo dire:
℟. **Padre nostro che sei nei cieli...**

Il sacerdote continua:

Liberaci, o Signore, da tutti i mali, concedi la pace ai nostri giorni, e con l'aiuto della tua misericordia vivremo sempre liberi dal peccato e sicuri da ogni turbamento, nell'attesa che si compia la beata speranza e venga il nostro salvatore Gesù Cristo.

℟. **Tuo è il regno,**
tua la potenza e la gloria nei secoli.

Il celebrante si comunica, e poi distribuisce nel modo solito la comunione ai fedeli. Durante la comunione, si può eseguire un canto adatto.

Dopo la comunione

Dio onnipotente ed eterno, che ci hai rinnovati con la gloriosa morte e risurrezione del tuo Cristo, custodisci in noi l'opera della tua misericordia, perché la partecipazione a questo grande mistero ci consacri sempre al tuo servizio. Per Cristo nostro Signore.

℟. **Amen.**

Orazione sul popolo

Il celebrante, rivolto al popolo e stendendo le mani sopra di esso, dice la seguente preghiera:

Scenda, o Padre, la tua benedizione su questo popolo che ha celebrato la morte del tuo Figlio nella speranza di risorgere con lui; venga il perdono e la consolazione, si accresca la fede, si rafforzi la certezza nella redenzione eterna. Per Cristo nostro Signore.

℟. **Amen.**

L'assemblea si scioglie in silenzio.

SABATO SANTO

Al sabato santo, la Chiesa sosta presso il sepolcro del Signore, meditando la sua passione e morte, astenendosi dal celebrare il sacrificio della messa – la mensa dell'altare è senza tovaglia e ornamenti – fino alla solenne veglia o attesa notturna della risurrezione. La tristezza allora cederà il posto alla gioia pasquale, che, nella sua pienezza, si protrarrà per cinquanta giorni. In questo sabato santo si può dare la santa comunione soltanto sotto forma di viatico.

PASQUA DI RISURREZIONE

a) VEGLIA PASQUALE
NELLA NOTTE SANTA

Cristo Signore risuscitò nel cuore di questa notte, la più santa di tutte le notti. Noi vegliamo, in comunione con tutti i fratelli sparsi nel mondo, per partecipare alla risurrezione di Cristo e alla nostra con lui. È il cuore della nostra fede. Egli ci trovi vigilanti e pronti alla nuova vita. «Aspetto la risurrezione dei morti e la vita del mondo che verrà. Amen».

La celebrazione liturgica della veglia pasquale è distribuita in quattro «tempi»:

– liturgia di Cristo luce del mondo, *che risplende e vince le tenebre del peccato (il cero pasquale);*

– liturgia della Parola: *nelle pagine più importanti dell'antica alleanza leggiamo le figure delle meraviglie dell'alleanza nuova ed eterna;*

– liturgia battesimale: *nel battesimo tutti noi, innestati sul Cristo-Capo, siamo morti e risuscitati con lui; rinnoviamone, insieme con la grazia, le rinunce e le promesse: programma di tutta la vita cristiana;*

– liturgia eucaristica: *Cristo risorge di nuovo sacramentalmente; comunicandoci a lui, attingiamo la vita nuova, la vita pasquale.*

LITURGIA DELLA LUCE o «LUCERNARIO»

Benedizione del fuoco

Alle porte della chiesa si prepara il fuoco. Uno dei ministri porta il cero pasquale. Il celebrante saluta il popolo e

*illustra brevemente il senso della veglia pasquale. Poi
benedice il fuoco.*

Fratelli e sorelle, in questa santissima notte, nella
quale il Signore nostro Gesù Cristo è passato dalla morte alla vita, la Chiesa invita i suoi figli sparsi nel mondo a raccogliersi per vegliare e pregare.
Rivivremo la Pasqua del Signore nell'ascolto della
Parola e nella partecipazione ai Sacramenti: Cristo risorto confermerà in noi la speranza di partecipare alla sua vittoria sulla morte e di vivere
con lui in Dio Padre.

Preghiamo.
O Padre, che per mezzo del tuo Figlio ci hai co-
municato la fiamma viva del tuo fulgore, benedici
✠ questo fuoco nuovo e, mediante le feste pasquali, accendi in noi il desiderio del cielo, perché, rinnovati nello spirito, possiamo giungere
alla festa dello splendore eterno. Per Cristo nostro
Signore.
℟. **Amen.**

Preparazione del cero pasquale

*Il sacerdote incide nel cero una croce, sopra di essa
traccia la lettera A (alfa) e sotto la lettera Ω (omega:
rispettivamente la prima e l'ultima dell'alfabeto greco),
entro i bracci della croce traccia le quattro cifre dell'anno corrente, mentre dice:*

Cristo ieri e oggi, principio e fine, Alfa e Omega.
A lui appartengono il tempo e i secoli. A lui la
gloria e il potere per tutti i secoli dei secoli. Amen.

*Poi infigge nel cero, in forma di croce, cinque grani di
incenso, mentre dice:*

Per mezzo delle sue sante piaghe gloriose ci protegga e ci custodisca Cristo Signore. Amen.

Accende il cero pasquale al nuovo fuoco, dicendo:

La luce di Cristo che risorge glorioso disperda le
tenebre del cuore e dello spirito.

Processione

*Il diacono o il sacerdote, tenendo in alto il cero pasqua-
le, canta:*

Cristo, luce del mondo.   (*Lumen Christi*)

℟. **Rendiamo grazie a Dio.**   (**Deo gratias**)

*Tutti si avviano verso la chiesa. Sulla soglia di essa,
canta in tono più alto:*

Cristo, luce del mondo.   (*Lumen Christi*)

℟. **Rendiamo grazie a Dio.**   (**Deo gratias**)

*Tutti accendono le loro candele alla fiamma del cero
pasquale ed entrano in chiesa. Il diacono o il sacerdote,
giunto con i ministri all'altare, canta ancora una volta:*

Cristo, luce del mondo.   (*Lumen Christi*)

℟. **Rendiamo grazie a Dio.**   (**Deo gratias**)

*E si accendono le luci della chiesa. Il cero pasquale vie-
ne posto sul candelabro.*

Annuncio pasquale (*Exultet*)

*Il diacono o, in sua assenza, il sacerdote, dopo aver
incensato il libro e il cero, canta ove possibile o proclama l'annuncio pasquale: i presenti stanno in piedi con
in mano la candela accesa. (Se si usa la forma breve, si
tralasciano le parti incluse tra parentesi).*

Esulti il coro degli angeli, esulti l'assemblea celeste: un inno di gloria saluti il trionfo del Signore risorto.

Gioisca la terra inondata da così grande splendore: la luce del Re eterno ha vinto le tenebre del mondo.

Gioisca la madre Chiesa, splendente della gloria del suo Signore, e questo tempio tutto risuoni per le acclamazioni del popolo in festa.

[E voi, fratelli carissimi, qui radunati nella solare chiarezza di questa nuova luce, invocate con me la misericordia di Dio onnipotente. Egli che mi ha chiamato, senza alcun merito, nel numero dei suoi ministri, irradi il suo mirabile fulgore, perché sia piena e perfetta la lode di questo cero.

℣. Il Signore sia con voi.

℟. **E con il tuo spirito.]**

℣. In alto i nostri cuori.

℟. **Sono rivolti al Signore.**

℣. Rendiamo grazie al Signore, nostro Dio.

℟. **È cosa buona e giusta.**

È veramente cosa buona e giusta esprimere con il canto l'esultanza dello spirito, e inneggiare al Dio invisibile, Padre onnipotente, e al suo unico Figlio, Gesù Cristo nostro Signore.

Egli ha pagato per noi all'eterno Padre il debito di Adamo, e con il sangue sparso per la nostra salvezza ha cancellato la condanna della colpa antica.

Questa è la vera Pasqua, in cui è ucciso il vero Agnello, che con il suo sangue consacra le case dei fedeli.

Questa è la notte in cui hai liberato i figli d'Israele,

nostri padri, dalla schiavitù dell'Egitto, e li hai fatti passare illesi attraverso il Mar Rosso.

Questa è la notte in cui hai vinto le tenebre del peccato con lo splendore della colonna di fuoco.

Questa è la notte che salva su tutta la terra i credenti nel Cristo dall'oscurità del peccato e dalla corruzione del mondo, li consacra all'amore del Padre e li unisce nella comunione dei santi.

Questa è la notte in cui Cristo, spezzando i vincoli della morte, risorge vincitore dal sepolcro.

[Nessun vantaggio per noi essere nati, se lui non ci avesse redenti.]

O immensità del tuo amore per noi! O inestimabile segno di bontà: per riscattare lo schiavo, hai sacrificato il tuo Figlio!

Davvero era necessario il peccato di Adamo, che è stato distrutto con la morte del Cristo. Felice colpa, che meritò di avere un così grande redentore!

[O notte beata, tu sola hai meritato di conoscere il tempo e l'ora in cui Cristo è risorto dagli inferi. Di questa notte è stato scritto: la notte splenderà come il giorno, e sarà fonte di luce per la mia delizia.]

Il santo mistero di questa notte sconfigge il male, lava le colpe, restituisce l'innocenza ai peccatori, la gioia agli afflitti.

[Dissipa l'odio, piega la durezza dei potenti, promuove la concordia e la pace.]

O notte veramente gloriosa, che ricongiunge la terra al cielo e l'uomo al suo creatore!

In questa notte di grazia accogli, Padre santo, il sacrificio di lode, che la Chiesa ti offre per mano dei suoi ministri, nella solenne liturgia del cero, frutto del lavoro delle api, simbolo della nuova luce.

[Riconosciamo nella colonna dell'Esodo gli antichi presagi di questo lume pasquale, che un fuoco ardente ha acceso in onore di Dio. Pur diviso in tante fiammelle non estingue il suo vivo splendore, ma si accresce nel consumarsi della cera che l'ape madre ha prodotto per alimentare questa preziosa lampada.]

Ti preghiamo, dunque, o Signore, che questo cero, offerto in onore del tuo nome per illuminare l'oscurità di questa notte, risplenda di luce che mai si spegne.

Salga a te come profumo soave, si confonda con le stelle del cielo. Lo trovi acceso la stella del mattino, quella stella che non conosce tramonto: Cristo, tuo Figlio, che risuscitato dai morti fa risplendere sugli uomini la sua luce serena e vive e regna nei secoli dei secoli.

℟ **Amen.**

LITURGIA DELLA PAROLA

La proclamazione della parola di Dio è parte fondamentale della veglia pasquale. Infatti in questa veglia «madre di tutte le veglie», la Chiesa propone nove letture: sette dall'Antico Testamento e due dal Nuovo. Per motivi pastorali, il numero delle letture dall'Antico Testamento può essere ridotto; ma si devono fare almeno tre letture, tra cui ci deve essere sempre quella dell'Esodo (terza lettura).

Spente le candele, tutti siedono. Prima della proclamazione delle letture, il sacerdote si rivolge al popolo con queste parole o con altre simili:

Fratelli e sorelle, dopo il solenne inizio della Veglia, ascoltiamo con cuore sereno la parola di Dio. Meditiamo come nell'antica alleanza Dio ha salvato il suo popolo e nella pienezza dei tempi ha mandato a noi il suo Figlio come redentore. Preghiamo perché Dio, nostro Padre, porti a compimento quest'opera di salvezza realizzata nella Pasqua.

Prima lettura

Dio vide quanto aveva fatto, ed ecco, era cosa molto buona.

Dio ha creato l'universo per l'uomo. La redenzione operata da Cristo è una «creazione nuova» ancora più meravigliosa della prima. Il battesimo ricrea nell'uomo la somiglianza con Dio.

Se si preferisce la forma breve (1,1.26-31), si tralascia di leggere le parti poste fra parentesi.

Dal libro della Gènesi (1,1-2,2)

In principio Dio creò il cielo e la terra. [La terra era informe e deserta e le tenebre ricoprivano l'abisso e lo spirito di Dio aleggiava sulle acque. Dio disse: «Sia la luce!». E la luce fu. Dio vide che la luce era cosa buona e Dio separò la luce dalle tenebre. Dio chiamò la luce giorno, mentre chiamò le tenebre notte. E fu sera e fu mattina: giorno primo.

Dio disse: «Sia un firmamento in mezzo alle acque per separare le acque dalle acque». Dio fece il firmamento e separò le acque che sono sotto il firmamento dalle acque che sono sopra il firmamento. E così avvenne. Dio chiamò il firmamento cielo. E fu sera e fu mattina: secondo giorno.

Dio disse: «Le acque che sono sotto il cielo si rac-
colgano in un unico luogo e appaia l'asciutto». E
così avvenne. Dio chiamò l'asciutto terra, mentre
chiamò la massa delle acque mare. Dio vide che
era cosa buona. Dio disse: «La terra produca germogli, erbe che producono seme e alberi da frutto,
che fanno sulla terra frutto con il seme, ciascuno
secondo la propria specie». E così avvenne. E la
terra produsse germogli, erbe che producono seme, ciascuna secondo la propria specie, e alberi
che fanno ciascuno frutto con il seme, secondo la
propria specie. Dio vide che era cosa buona. E fu
sera e fu mattina: terzo giorno.
Dio disse: «Ci siano fonti di luce nel firmamento
del cielo, per separare il giorno dalla notte; siano
segni per le feste, per i giorni e per gli anni e siano
fonti di luce nel firmamento del cielo per illuminare la terra». E così avvenne. E Dio fece le due fonti
di luce grandi: la fonte di luce maggiore per governare il giorno e la fonte di luce minore per governare la notte, e le stelle. Dio le pose nel firmamento
del cielo per illuminare la terra e per governare il
giorno e la notte e per separare la luce dalle tenebre. Dio vide che era cosa buona. E fu sera e fu
mattina: quarto giorno.
Dio disse: «Le acque brùlichino di esseri viventi e
uccelli volino sopra la terra, davanti al firmamento del cielo». Dio creò i grandi mostri marini e tutti gli esseri viventi che guizzano e brù-
licano nelle acque, secondo la loro specie, e tutti
gli uccelli alati, secondo la loro specie. Dio vide
che era cosa buona. Dio li benedisse: «Siate fecondi e moltiplicatevi e riempite le acque
dei mari; gli uccelli si moltìplichino sulla terra».

E fu sera e fu mattina: quinto giorno.

Dio disse: «La terra produca esseri viventi secondo la loro specie: bestiame, rettili e animali selvatici, secondo la loro specie». E così avvenne. Dio fece gli animali selvatici, secondo la loro specie, il bestiame, secondo la propria specie, e tutti i rettili del suolo, secondo la loro specie. Dio vide che era cosa buona.]

Dio disse: «Facciamo l'uomo a nostra immagine, secondo la nostra somiglianza: dòmini sui pesci del mare e sugli uccelli del cielo, sul bestiame, su tutti gli animali selvatici e su tutti i rettili che strisciano sulla terra».

E Dio creò l'uomo a sua immagine; a immagine di Dio lo creò: maschio e femmina li creò. Dio li benedisse e Dio disse loro: «Siate fecondi e moltiplicatevi, riempite la terra e soggiogatela, dominate sui pesci del mare e sugli uccelli del cielo e su ogni essere vivente che striscia sulla terra».

Dio disse: «Ecco, io vi do ogni erba che produce seme e che è su tutta la terra, e ogni albero fruttifero che produce seme: saranno il vostro cibo. A tutti gli animali selvatici, a tutti gli uccelli del cielo e a tutti gli esseri che strisciano sulla terra e nei quali è alito di vita, io do in cibo ogni erba verde». E così avvenne. Dio vide quanto aveva fatto, ed ecco, era cosa molto buona. [E fu sera e fu mattina: sesto giorno.

Così furono portati a compimento il cielo e la terra e tutte le loro schiere. Dio, nel settimo giorno, portò a compimento il lavoro che aveva fatto e cessò nel settimo giorno da ogni suo lavoro che aveva fatto.]

— Parola di Dio.

R. **Rendiamo grazie a Dio.**

Salmo responsoriale   (dal Sal 103)

℟. *Manda il tuo Spirito, Signore,*
  a rinnovare la terra.

Benedici il Signore, anima mia!
Sei tanto grande, Signore, mio Dio!
Sei rivestito di maestà e di splendore,
avvolto di luce come di un manto.   ℟.

Egli fondò la terra sulle sue basi:
non potrà mai vacillare.
Tu l'hai coperta con l'oceano come una veste;
al di sopra dei monti stavano le acque.   ℟.

Tu mandi nelle valli acque sorgive
perché scorrano tra i monti.
In alto abitano gli uccelli del cielo
e cantano tra le fronde.   ℟.

Dalle tue dimore tu irrìghi i monti,
e con il frutto delle tue opere si sazia la terra.
Tu fai crescere l'erba per il bestiame
e le piante che l'uomo coltiva
per trarre cibo dalla terra.   ℟.

Quante sono le tue opere, Signore!
Le hai fatte tutte con saggezza;
la terra è piena delle tue creature.
Benedici il Signore, anima mia.   ℟.

Oppure, dal Sal 32:
℟. *Dell'amore del Signore è piena la terra.*

Retta è la parola del Signore
e fedele ogni sua opera.
Egli ama la giustizia e il diritto;
dell'amore del Signore è piena la terra.   ℟.

Dalla parola del Signore furono fatti i cieli,
dal soffio della sua bocca ogni loro schiera.
Come in un otre raccoglie le acque del mare,
chiude in riserve gli abissi. ℞.

Beata la nazione che ha il Signore come Dio,
il popolo che egli ha scelto come sua eredità.
Il Signore guarda dal cielo:
egli vede tutti gli uomini. ℞.

L'anima nostra attende il Signore:
egli è nostro aiuto e nostro scudo.
Su di noi sia il tuo amore, Signore,
come da te noi speriamo. ℞.

*Dopo il salmo, tutti si alzano e il celebrante recita la
seguente orazione:*

Preghiamo.
Dio onnipotente ed eterno, ammirabile in tutte le
opere del tuo amore, illumina i figli da te redenti
perché comprendano che, se fu grande all'inizio
la creazione del mondo, ben più grande, nella pienezza dei tempi, fu l'opera della nostra redenzione, nel sacrificio pasquale di Cristo Signore. Egli
vive e regna nei secoli dei secoli.
℞. **Amen.**

*Oppure (quando si fa la lettura breve, si dice la seguente
orazione):*

O Dio, che in modo mirabile ci hai creati a tua
immagine e in modo più mirabile ci hai rinnovati
e redenti, fa' che resistiamo con la forza dello spirito alle seduzioni del peccato, per giungere alla
gioia eterna. Per Cristo nostro Signore.
℞. **Amen.**

Seconda lettura

Il sacrificio di Abramo nostro padre nella fede.

Il gesto sacrificale di Abramo sul figlio Isacco è figura profetica del sacrificio di Cristo, della sua morte e della sua risurrezione.

Se si preferisce la forma breve (22,1-2.9a.10-13.15-18), si tralascia di leggere le parti fra parentesi.

Dal libro della Gènesi (22,1-18)

In quei giorni, Dio mise alla prova Abramo e gli disse: «Abramo!». Rispose: «Eccomi!». Riprese: «Prendi tuo figlio, il tuo unigenito che ami, Isacco, va' nel territorio di Mòria e offrilo in olocausto su di un monte che io ti indicherò».

[Abramo si alzò di buon mattino, sellò l'asino, prese con sé due servi e il figlio Isacco, spaccò la legna per l'olocausto e si mise in viaggio verso il luogo che Dio gli aveva indicato. Il terzo giorno Abramo alzò gli occhi e da lontano vide quel luogo. Allora Abramo disse ai suoi servi: «Fermatevi qui con l'asino; io e il ragazzo andremo fin lassù, ci prostreremo e poi ritorneremo da voi». Abramo prese la legna dell'olocausto e la caricò sul figlio Isacco, prese in mano il fuoco e il coltello, poi proseguirono tutti e due insieme.

Isacco si rivolse al padre Abramo e disse: «Padre mio!». Rispose: «Eccomi, figlio mio». Riprese: «Ecco qui il fuoco e la legna, ma dov'è l'agnello per l'olocausto?». Abramo rispose: «Dio stesso si provvederà l'agnello per l'olocausto, figlio mio!». Proseguirono tutti e due insieme.]

Così arrivarono al luogo che Dio gli aveva indicato; qui Abramo costruì l'altare, collocò la legna,

[legò suo figlio Isacco e lo depose sull'altare, sopra la legna.] Poi Abramo stese la mano e prese il coltello per immolare suo figlio.
Ma l'angelo del Signore lo chiamò dal cielo e gli disse: «Abramo, Abramo!». Rispose: «Eccomi!».
L'angelo disse: «Non stendere la mano contro il ragazzo e non fargli niente! Ora so che tu temi Dio e non mi hai rifiutato tuo figlio, il tuo unigenito».
Allora Abramo alzò gli occhi e vide un ariete, impigliato con le corna in un cespuglio. Abramo andò a prendere l'ariete e lo offrì in olocausto invece del figlio. [Abramo chiamò quel luogo «Il Signore vede»; perciò oggi si dice: «Sul monte il Signore si fa vedere».]
L'angelo del Signore chiamò dal cielo Abramo per la seconda volta e disse: «Giuro per me stesso, oracolo del Signore: perché tu hai fatto questo e non hai risparmiato tuo figlio, il tuo unigenito, io ti colmerò di benedizioni e renderò molto numerosa la tua discendenza, come le stelle del cielo e come la sabbia che è sul lido del mare; la tua discendenza si impadronirà delle città dei nemici. Si diranno benedette nella tua discendenza tutte le nazioni della terra, perché tu hai obbedito alla mia voce».
— Parola di Dio.
℟. **Rendiamo grazie a Dio.**

Salmo responsoriale
(dal Sal 15)

℟. *Proteggimi, o Dio: in te mi rifugio.*

Il Signore è mia parte di eredità e mio calice:
nelle tue mani è la mia vita.
Io pongo sempre davanti a me il Signore,
sta alla mia destra, non potrò vacillare. ℟.

Per questo gioisce il mio cuore
ed esulta la mia anima;
anche il mio corpo riposa al sicuro,
perché non abbandonerai la mia vita negli inferi,
né lascerai che il tuo fedele veda la fossa.   ℟.

Mi indicherai il sentiero della vita,
gioia piena alla tua presenza,
dolcezza senza fine alla tua destra.   ℟.

Preghiamo.
O Dio, Padre dei credenti, che estendendo a tutti
gli uomini il dono dell'adozione filiale, moltipli-
chi in tutta la terra i tuoi figli, e nel sacramento
pasquale del Battesimo adempi la promessa fatta
ad Abramo di renderlo padre di tutte le nazioni,
concedi al tuo popolo di rispondere degnamente
alla grazia della tua chiamata. Per Cristo nostro
Signore.
℟. Amen.

Terza lettura

Gli Israeliti camminarono all'asciutto in mezzo al mare.

*La liberazione del popolo di Dio attraverso il Mar Rosso è un
evento salvifico che preannuncia il battesimo, sacramento
della nostra liberazione e del nostro «passaggio» dal peccato
alla vita di figli di Dio.*

Dal libro dell'Èsodo   (14,15-15,1)

In quei giorni, il Signore disse a Mosè: «Perché
gridi verso di me? Ordina agli Israeliti di riprendere il cammino. Tu intanto alza il bastone, stendi la mano sul mare e dividilo, perché gli Israeliti
entrino nel mare all'asciutto. Ecco, io rendo osti-
nato il cuore degli Egiziani, così che entrino die-

tro di loro e io dimostri la mia gloria sul faraone e tutto il suo esercito, sui suoi carri e sui suoi cavalieri. Gli Egiziani sapranno che io sono il Signore, quando dimostrerò la mia gloria contro il faraone, i suoi carri e i suoi cavalieri».

L'angelo di Dio, che precedeva l'accampamento d'Israele, cambiò posto e passò indietro. Anche la colonna di nube si mosse e dal davanti passò dietro. Andò a porsi tra l'accampamento degli Egiziani e quello d'Israele. La nube era tenebrosa per gli uni, mentre per gli altri illuminava la notte; così gli uni non poterono avvicinarsi agli altri durante tutta la notte.

Allora Mosè stese la mano sul mare. E il Signore durante tutta la notte risospinse il mare con un forte vento d'oriente, rendendolo asciutto; le acque si divisero. Gli Israeliti entrarono nel mare sull'asciutto, mentre le acque erano per loro un muro a destra e a sinistra. Gli Egiziani li inseguirono, e tutti i cavalli del faraone, i suoi carri e i suoi cavalieri entrarono dietro di loro in mezzo al mare.

Ma alla veglia del mattino il Signore, dalla colonna di fuoco e di nube, gettò uno sguardo sul campo degli Egiziani e lo mise in rotta. Frenò le ruote dei loro carri, così che a stento riuscivano a spingerle. Allora gli Egiziani dissero: «Fuggiamo di fronte a Israele, perché il Signore combatte per loro contro gli Egiziani!».

Il Signore disse a Mosè: «Stendi la mano sul mare: le acque si riversino sugli Egiziani, sui loro carri e i loro cavalieri». Mosè stese la mano sul mare e il mare, sul far del mattino, tornò al suo livello consueto, mentre gli Egiziani, fuggendo, gli si dirigevano contro. Il Signore li travolse così in mezzo al mare. Le acque ritornarono e sommersero i carri e i cavalieri di tutto l'esercito del faraone, che erano entrati nel mare dietro a Israele: non ne scampò neppure uno. Invece gli Israeliti avevano camminato sull'asciutto in mezzo al mare, mentre le acque erano per loro un muro a destra e a sinistra.

In quel giorno il Signore salvò Israele dalla mano degli Egiziani, e Israele vide gli Egiziani morti sulla riva del mare; Israele vide la mano potente con la quale il Signore aveva agito contro l'Egitto, e il popolo temette il Signore e credette in lui e in Mosè suo servo.

Allora Mosè e gli Israeliti cantarono questo canto al Signore e dissero:

Cantico (Es 15,1-18)

℟. *Cantiamo al Signore:*
  stupenda è la sua vittoria.

«Voglio cantare al Signore,
perché ha mirabilmente trionfato:
cavallo e cavaliere ha gettato nel mare.
Mia forza e mio canto è il Signore,
egli è stato la mia salvezza.
È il mio Dio: lo voglio lodare,
il Dio di mio padre: lo voglio esaltare!   ℟.

Il Signore è un guerriero,
Signore è il suo nome.
I carri del faraone e il suo esercito
li ha scagliati nel mare;
i suoi combattenti scelti
furono sommersi nel Mar Rosso.   ℟.

Gli abissi li ricoprirono,
sprofondarono come pietra.
La tua destra, Signore,
è gloriosa per la potenza,
la tua destra, Signore,
annienta il nemico. ℟.

Tu fai entrare il tuo popolo e lo pianti
sul monte della tua eredità,
luogo che per tua dimora,
Signore, hai preparato,
santuario che le tue mani,
Signore, hanno fondato.
Il Signore regni
in eterno e per sempre!». ℟.

Preghiamo.

O Dio, anche ai nostri giorni vediamo risplendere i tuoi antichi prodigi: ciò che hai fatto con la
tua mano potente per liberare un solo popolo
dall'oppressione del faraone, ora lo compi attraverso l'acqua del Battesimo per la salvezza di tutti i popoli; concedi che l'umanità intera sia accol-
ta tra i figli di Abramo e partecipi alla dignità del
popolo eletto. Per Cristo nostro Signore.

℟. **Amen.**

Oppure:

O Dio, che hai rivelato nella luce della nuova alleanza il significato degli antichi prodigi così che
il Mar Rosso fosse l'immagine del fonte battesimale e il popolo liberato dalla schiavitù prefigu-
rasse il popolo cristiano, concedi che tutti gli uomini, mediante la fede, siano resi partecipi del

privilegio dei figli d'Israele e siano rigenerati dal dono del tuo Spirito. Per Cristo nostro Signore. ℟. **Amen.**

Quarta lettura

Con affetto perenne il Signore, tuo redentore, ha avuto pietà di te.

La Gerusalemme nuova, ricostruita dopo l'esilio, è figura della Chiesa, nuovo popolo di Dio, nata dal sacrificio pasquale di Cristo.

Dal libro del profeta Isaìa (54,5-14)

Tuo sposo è il tuo creatore, Signore degli eserciti è il suo nome; tuo redentore è il Santo d'Israele, è chiamato Dio di tutta la terra.

Come una donna abbandonata e con l'animo afflitto, ti ha richiamata il Signore. Viene forse ripudiata la donna sposata in gioventù? – dice il tuo Dio –. Per un breve istante ti ho abbandonata, ma ti raccoglierò con immenso amore. In un impeto di collera ti ho nascosto per un poco il mio volto; ma con affetto perenne ho avuto pietà di te, dice il tuo redentore, il Signore.

Ora è per me come ai giorni di Noè, quando giurai che non avrei più riversato le acque di Noè sulla terra; così ora giuro di non più adirarmi con te e di non più minacciarti. Anche se i monti si spostassero e i colli vacillassero, non si allontanerebbe da te il mio affetto, né vacillerebbe la mia alleanza di pace, dice il Signore che ti usa misericordia.

Afflitta, percossa dal turbine, sconsolata, ecco io pongo sullo stibio le tue pietre e sugli zaffiri pongo le tue fondamenta. Farò di rubini la tua merlatura, le tue porte saranno di berilli, tutta la tua cinta sarà di pietre preziose.

Tutti i tuoi figli saranno discepoli del Signore, grande sarà la prosperità dei tuoi figli; sarai fondata sulla giustizia. Tieniti lontana dall'oppressione, perché non dovrai temere, dallo spavento, perché non ti si accosterà.

— Parola di Dio.

℟. **Rendiamo grazie a Dio.**

Salmo responsoriale   (dal Sal 29)

℟. *Ti esalterò, Signore, perché mi hai risollevato.*

Ti esalterò, Signore, perché mi hai risollevato,
non hai permesso ai miei nemici di gioire su di me.
Signore, hai fatto risalire la mia vita dagli inferi,
mi hai fatto rivivere
perché non scendessi nella fossa.   ℟.

Cantate inni al Signore, o suoi fedeli,
della sua santità celebrate il ricordo,
perché la sua collera dura un istante,
la sua bontà per tutta la vita.
Alla sera ospite è il pianto
e al mattino la gioia.   ℟.

Ascolta, Signore, abbi pietà di me,
Signore, vieni in mio aiuto!
Hai mutato il mio lamento in danza;
Signore, mio Dio,
ti renderò grazie per sempre.   ℟.

Preghiamo.
Dio onnipotente ed eterno, moltiplica a gloria del tuo nome la discendenza promessa alla fede dei

patriarchi e aumenta il numero dei tuoi figli, perché la Chiesa veda realizzato il disegno universale di salvezza, nel quale i nostri padri avevano fermamente sperato. Per Cristo nostro Signore.

℟. **Amen.**

Quinta lettura

Venite a me e vivrete; stabilirò per voi un'alleanza eterna.

La celebrazione della Pasqua, sacrificio di alleanza universale, rende attuale per noi l'invito alla salvezza, che il profeta Isaia ci rivolge.

Dal libro del profeta Isaìa   (55,1-11)

Così dice il Signore: «O voi tutti assetati, venite all'acqua, voi che non avete denaro, venite; comprate e mangiate; venite, comprate senza denaro, senza pagare, vino e latte. Perché spendete denaro per ciò che non è pane, il vostro guadagno per ciò che non sazia? Su, ascoltatemi e mangerete cose buone e gusterete cibi succulenti.

Porgete l'orecchio e venite a me, ascoltate e vivrete. Io stabilirò per voi un'alleanza eterna, i favori assicurati a Davide. Ecco, l'ho costituito testimone fra i popoli, principe e sovrano sulle nazioni.

Ecco, tu chiamerai gente che non conoscevi; accorreranno a te nazioni che non ti conoscevano a causa del Signore, tuo Dio, del Santo d'Israele, che ti onora.

Cercate il Signore, mentre si fa trovare, invocàtelo, mentre è vicino. L'empio abbandoni la sua via e l'uomo iniquo i suoi pensieri; ritorni al Signore che avrà misericordia di lui e al nostro Dio che largamente perdona.

Perché i miei pensieri non sono i vostri pensieri, le vostre vie non sono le mie vie. Oracolo del Signore. Quanto il cielo sovrasta la terra, tanto le mie vie sovrastano le vostre vie, i miei pensieri sovrastano i vostri pensieri.

Come infatti la pioggia e la neve scendono dal cielo e non vi ritornano senza avere irrigato la terra, senza averla fecondata e fatta germogliare, perché dia il seme a chi semina e il pane a chi mangia, così sarà della mia parola uscita dalla mia bocca: non ritornerà a me senza effetto, senza aver operato ciò che desidero e senza aver compiuto ciò per cui l'ho mandata».

— Parola di Dio.

℞. **Rendiamo grazie a Dio.**

Salmo responsoriale (Is 12,2-6)

℞. *Attingeremo con gioia*
alle sorgenti della salvezza.

Ecco, Dio è la mia salvezza;
io avrò fiducia, non avrò timore,
perché mia forza e mio canto è il Signore;
egli è stato la mia salvezza. ℞.

Attingerete acqua con gioia
alle sorgenti della salvezza.
Rendete grazie al Signore e invocate il suo nome,
proclamate fra i popoli le sue opere,
fate ricordare che il suo nome è sublime. ℞.

Cantate inni al Signore,
perché ha fatto cose eccelse,

le conosca tutta la terra.
Canta ed esulta, tu che abiti in Sion,
perché grande in mezzo a te
è il Santo d'Israele.   ℟.

Preghiamo.
Dio onnipotente ed eterno, unica speranza del
mondo, che mediante l'annuncio dei profeti hai
rivelato i misteri che oggi celebriamo, ravviva la
nostra sete di te, perché soltanto con l'azione del
tuo Spirito possiamo progredire nelle vie del bene. Per Cristo nostro Signore.
℟. **Amen.**

Sesta lettura

Cammina allo splendore della luce del Signore.

*La Pasqua è la festa del grande ritorno alla casa del Padre. Il
peccato ce ne ha allontanato: lo Spirito Santo, sapienza divina, ci riconduce in questa divina famiglia.*

Dal libro del profeta Baruc   (3,9-15.32; 4,4)

Ascolta, Israele, i comandamenti della vita, porgi
l'orecchio per conoscere la prudenza. Perché,
Israele? Perché ti trovi in terra nemica e sei diventato vecchio in terra straniera? Perché ti sei
contaminato con i morti e sei nel numero di quelli che scendono negli inferi? Tu hai abbandonato
la fonte della sapienza! Se tu avessi camminato
nella via di Dio, avresti abitato per sempre nella
pace.
Impara dov'è la prudenza, dov'è la forza, dov'è
l'intelligenza, per comprendere anche dov'è la
longevità e la vita, dov'è la luce degli occhi e la
pace. Ma chi ha scoperto la sua dimora, chi è
penetrato nei suoi tesori?

Ma colui che sa tutto, la conosce e l'ha scrutata con la sua intelligenza, colui che ha formato la terra per sempre e l'ha riempita di quadrupedi, colui che manda la luce ed essa corre, l'ha chiamata, ed essa gli ha obbedito con tremore. Le stelle hanno brillato nei loro posti di guardia e hanno gioito; egli le ha chiamate ed hanno risposto: «Eccoci!», e hanno brillato di gioia per colui che le ha create.

Egli è il nostro Dio, e nessun altro può essere confrontato con lui. Egli ha scoperto ogni via della sapienza e l'ha data a Giacobbe, suo servo, a Israele, suo amato. Per questo è apparsa sulla terra e ha vissuto fra gli uomini. Essa è il libro dei decreti di Dio e la legge che sussiste in eterno; tutti coloro che si attengono ad essa avranno la vita, quanti l'abbandonano moriranno.

Ritorna, Giacobbe, e accoglila, cammina allo splendore della sua luce. Non dare a un altro la tua gloria né i tuoi privilegi a una nazione straniera.

Beati siamo noi, o Israele, perché ciò che piace a Dio è da noi conosciuto.

— Parola di Dio.

℟ **Rendiamo grazie a Dio.**

Salmo responsoriale (dal Sal 18)

℟ *Signore, tu hai parole di vita eterna.*

La legge del Signore è perfetta,
rinfranca l'anima;
la testimonianza del Signore è stabile,
rende saggio il semplice. ℟

I precetti del Signore sono retti,
fanno gioire il cuore;
il comando del Signore è limpido,
illumina gli occhi. ℟

Il timore del Signore è puro,
rimane per sempre;
i giudizi del Signore sono fedeli,
sono tutti giusti. ℟

Più preziosi dell'oro,
di molto oro fino,
più dolci del miele
e di un favo stillante. ℟

Preghiamo.
O Dio, che accresci sempre la tua Chiesa chiamando nuovi figli da tutte le genti, custodisci nella tua protezione coloro che fai rinascere dall'acqua del Battesimo. Per Cristo nostro Signore.
℟ **Amen.**

Settima lettura

Vi aspergerò con acqua pura e vi darò un cuore nuovo.

Il rinnovamento, a cui ci invita il profeta Ezechiele, è opera di Dio in Cristo Signore, per mezzo del battesimo. L'acqua battesimale ci purifica e ci trasforma.

Dal libro del profeta Ezechièle   (36,16-17a.18-28)

Mi fu rivolta questa parola del Signore: «Figlio dell'uomo, la casa d'Israele, quando abitava la sua terra, la rese impura con la sua condotta e le sue azioni. Perciò ho riversato su di loro la mia ira per il sangue che avevano sparso nel paese e per gli idoli con i quali l'avevano contaminato. Li ho dispersi fra le nazioni e sono stati dispersi in altri territori: li ho giudicati secondo la loro condotta e le loro azioni.

Giunsero fra le nazioni dove erano stati spinti e profanarono il mio nome santo, perché di loro si diceva: "Costoro sono il popolo del Signore e tuttavia sono stati scacciati dal suo paese". Ma io ho avuto riguardo del mio nome santo, che la casa d'Israele aveva profanato fra le nazioni presso le quali era giunta.

Perciò annuncia alla casa d'Israele: "Così dice il Signore Dio: Io agisco non per riguardo a voi, casa d'Israele, ma per amore del mio nome santo, che voi avete profanato fra le nazioni presso le quali siete giunti. Santificherò il mio nome grande, profanato fra le nazioni, profanato da voi in mezzo a loro. Allora le nazioni sapranno che io sono il Signore – oracolo del Signore Dio –, quando mostrerò la mia santità in voi davanti ai loro occhi.

Vi prenderò dalle nazioni, vi radunerò da ogni terra e vi condurrò sul vostro suolo. Vi aspergerò con acqua pura e sarete purificati; io vi purificherò da tutte le vostre impurità e da tutti i vostri idoli; vi darò un cuore nuovo, metterò dentro di voi uno spirito nuovo, toglierò da voi il cuore di pietra e vi darò un cuore di carne.

Porrò il mio spirito dentro di voi e vi farò vivere secondo le mie leggi e vi farò osservare e mettere in pratica le mie norme. Abiterete nella terra che io diedi ai vostri padri; voi sarete il mio popolo e io sarò il vostro Dio"».

— Parola di Dio.

℟. **Rendiamo grazie a Dio.**

Salmo responsoriale   (dai Sal 41-42)

℟. *Come la cerva anela ai corsi d'acqua,*
   così l'anima mia anela a te, o Dio.

L'anima mia ha sete di Dio,
del Dio vivente:
quando verrò e vedrò
il volto di Dio?   ℟.

Avanzavo tra la folla,
la precedevo fino alla casa di Dio,
fra canti di gioia e di lode
di una moltitudine in festa.   ℟.

Manda la tua luce e la tua verità:
siano esse a guidarmi,
mi conducano alla tua santa montagna,
alla tua dimora.   ℟.

Verrò all'altare di Dio,
a Dio, mia gioiosa esultanza.
A te canterò sulla cetra,
Dio, Dio mio.   ℟.

Oppure (quando si celebra il battesimo)   (da Is 12,2-6)

℟. *Attingeremo con gioia*
   alle sorgenti della salvezza.

Ecco, Dio è la mia salvezza;
io avrò fiducia, non avrò timore,
perché mia forza e mio canto è il Signore;
egli è stato la mia salvezza.   ℟.

Attingerete acqua con gioia
alle sorgenti della salvezza.
Rendete grazie al Signore e invocate il suo nome,
proclamate fra i popoli le sue opere,
fate ricordare che il suo nome è sublime.   ℟.

Cantate inni al Signore,
perché ha fatto cose eccelse,
le conosca tutta la terra.
Canta ed esulta, tu che abiti in Sion,
perché grande in mezzo a te
è il Santo d'Israele. ℟.

Oppure   (dal Sal 50)

℟. *Crea in me, o Dio, un cuore puro.*

Crea in me, o Dio, un cuore puro,
rinnova in me uno spirito saldo.
Non scacciarmi dalla tua presenza
e non privarmi del tuo santo spirito. ℟.

Rendimi la gioia della tua salvezza,
sostienimi con uno spirito generoso.
Insegnerò ai ribelli le tue vie
e i peccatori a te ritorneranno. ℟.

Tu non gradisci il sacrificio;
se offro olocausti, tu non li accetti.
Uno spirito contrito è sacrificio a Dio;
un cuore contrito e affranto tu, o Dio,
non disprezzi. ℟.

Preghiamo.
O Dio, potenza immutabile e luce che non tra-
monta, guarda con amore al mirabile sacramento
di tutta la Chiesa e compi nella pace l'opera del-
l'umana salvezza secondo il tuo disegno eterno;
tutto il mondo conosca e veda che quanto è distrutto si ricostruisce, quanto è invecchiato si rinnova, e tutto ritorna alla sua integrità, per mezzo
di Cristo, che è principio di ogni cosa. Egli vive e
regna nei secoli dei secoli.
℟. **Amen.**

Oppure:

O Dio, che nelle pagine dell'Antico e Nuovo Testamento ci insegni a celebrare il mistero pasquale, fa' che comprendiamo l'opera della tua misericordia, perché i doni che oggi riceviamo confermino in noi la speranza dei beni futuri. Per Cristo nostro Signore.

R. **Amen.**

Terminate le letture dell'Antico Testamento, si accendono le candele sull'altare. Il sacerdote intona l'inno del Gloria (cf. p. 180), che salda insieme la proclamazione straordinaria della parola di Dio, propria della «notte santissima», con quella ordinaria di ogni messa. Finito l'inno, il sacerdote dice:

Colletta

O Dio, che illumini questa santissima notte con la gloria della risurrezione del Signore, ravviva nella tua Chiesa lo spirito di adozione filiale, perché, rinnovati nel corpo e nell'anima, siamo sempre fedeli al tuo servizio. Per il nostro Signore Gesù Cristo...

R. **Amen.**

Epistola

Cristo risorto dai morti non muore più.

Il battesimo ci ha innestati nel Cristo morto e risorto e ci ha fatto partecipare al suo mistero di liberazione e di alleanza con Dio.

Dalla lettera di san Paolo apostolo ai Romani
(6,3-11)

Fratelli, non sapete che quanti siamo stati battezzati in Cristo Gesù, siamo stati battezzati nella sua morte?

Per mezzo del battesimo dunque siamo stati sepolti insieme a lui nella morte affinché, come Cristo fu risuscitato dai morti per mezzo della gloria del Padre, così anche noi possiamo camminare in una vita nuova. Se infatti siamo stati intimamente uniti a lui a somiglianza della sua morte, lo saremo anche a somiglianza della sua risurrezione.

Lo sappiamo: l'uomo vecchio che è in noi è stato crocifisso con lui, affinché fosse reso inefficace questo corpo di peccato, e noi non fossimo più schiavi del peccato. Infatti chi è morto, è liberato dal peccato. Ma se siamo morti con Cristo, crediamo che anche vivremo con lui, sapendo che Cristo, risorto dai morti, non muore più; la morte non ha più potere su di lui. Infatti egli morì, e morì per il peccato una volta per tutte; ora invece vive, e vive per Dio. Così anche voi consideratevi morti al peccato, ma viventi per Dio, in Cristo Gesù.

— Parola di Dio.

℟. **Rendiamo grazie a Dio.**

*Terminata la lettura, tutti si alzano. Il sacerdote intona solennemente l'*Alleluia, *che tutti ripetono, e le strofe del salmo responsoriale.*

Salmo responsoriale (dal Sal 117)

℟. *Alleluia, alleluia, alleluia.*

Rendete grazie al Signore perché è buono,
perché il suo amore è per sempre.
Dica Israele: «Il suo amore è per sempre».   ℟.

La destra del Signore si è innalzata,
la destra del Signore ha fatto prodezze.
Non morirò, ma resterò in vita
e annuncerò le opere del Signore.   ℟.

La pietra scartata dai costruttori
è divenuta la pietra d'angolo.
Questo è stato fatto dal Signore:
una meraviglia ai nostri occhi.   ℟

Vangelo

Il messaggio centrale della Pasqua cristiana è questo: Gesù
Nazareno, il crocifisso, è risorto! *Si tratta di una realtà
divina, che tutti gli evangelisti mettono in grande evidenza.
Gesù invita anche noi a essere nel mondo i testimoni della
sua risurrezione, dopo esserne stati partecipi nei santi sacramenti.*

*Nella messa della veglia pasquale, il racconto della ri-
surrezione si legge in questo ordine: nell'anno A: Vangelo secondo Matteo; nell'anno B: Vangelo secondo Marco; nell'anno C: Vangelo secondo Luca.*

ANNO A

È risorto e vi precede in Galilea.

✠ **Dal Vangelo secondo Matteo**   (28,1-10)

Dopo il sabato, all'alba del primo giorno della
settimana, Maria di Màgdala e l'altra Maria andarono a visitare la tomba.
Ed ecco, vi fu un gran terremoto. Un angelo del
Signore, infatti, sceso dal cielo, si avvicinò, roto-
lò la pietra e si pose a sedere su di essa. Il suo
aspetto era come folgore e il suo vestito bianco
come neve. Per lo spavento che ebbero di lui, le
guardie furono scosse e rimasero come morte.
L'angelo disse alle donne: «Voi non abbiate paura! So che cercate Gesù, il crocifisso. Non è qui.
È risorto, infatti, come aveva detto; venite, guardate il luogo dove era stato deposto. Presto, andate a dire ai suoi discepoli: "È risorto dai morti,

ed ecco, vi precede in Galilea; là lo vedrete". Ecco, io ve l'ho detto».

Abbandonato in fretta il sepolcro con timore e gioia grande, le donne corsero a dare l'annuncio ai suoi discepoli.

Ed ecco, Gesù venne loro incontro e disse: «Salute a voi!». Ed esse si avvicinarono, gli abbracciarono i piedi e lo adorarono. Allora Gesù disse loro: «Non temete; andate ad annunciare ai miei fratelli che vadano in Galilea: là mi vedranno».

— Parola del Signore.

℟. **Lode a te, o Cristo.**

ANNO B

Gesù Nazareno, il crocifisso, è risorto.

✠ **Dal Vangelo secondo Marco** (16,1-7)

Passato il sabato, Maria di Màgdala, Maria madre di Giacomo e Salòme comprarono oli aromatici per andare a ungerlo. Di buon mattino, il primo giorno della settimana, vennero al sepolcro al levare del sole.

Dicevano tra loro: «Chi ci farà rotolare via la pietra dall'ingresso del sepolcro?». Alzando lo sguardo, osservarono che la pietra era già stata fatta rotolare, benché fosse molto grande.

Entrate nel sepolcro, videro un giovane, seduto sulla destra, vestito d'una veste bianca, ed ebbero paura. Ma egli disse loro: «Non abbiate paura! Voi cercate Gesù Nazareno, il crocifisso. È risorto, non è qui. Ecco il luogo dove l'avevano posto. Ma andate, dite ai suoi discepoli e a Pietro: "Egli vi precede in Galilea. Là lo vedrete, come vi ha detto"».

— Parola del Signore.
℟. **Lode a te, o Cristo.**

Anno C
Perché cercate tra i morti colui che è vivo?

✠ **Dal Vangelo secondo Luca**   (24,1-12)

Il primo giorno della settimana, al mattino presto [le donne] si recarono al sepolcro, portando con sé gli aromi che avevano preparato. Trovarono che la pietra era stata rimossa dal sepolcro e, entrate, non trovarono il corpo del Signore Gesù.
Mentre si domandavano che senso avesse tutto questo, ecco due uomini presentarsi a loro in abito sfolgorante. Le donne, impaurite, tenevano il volto chinato a terra, ma quelli dissero loro: «Perché cercate tra i morti colui che è vivo? Non è qui, è risorto. Ricordatevi come vi parlò quando era ancora in Galilea e diceva: "Bisogna che il Figlio dell'uomo sia consegnato in mano ai peccatori, sia crocifisso e risorga il terzo giorno"».
Ed esse si ricordarono delle sue parole e, tornate dal sepolcro, annunciarono tutto questo agli Undici e a tutti gli altri. Erano Maria Maddalena, Giovanna e Maria madre di Giacomo. Anche le altre, che erano con loro, raccontavano queste cose agli apostoli.
Quelle parole parvero a loro come un vaneggiamento e non credevano ad esse. Pietro tuttavia si alzò, corse al sepolcro e, chinatosi, vide soltanto i teli. E tornò indietro, pieno di stupore per l'accaduto.
— Parola del Signore.
℟. **Lode a te, o Cristo.**

Dopo l'omelia segue la liturgia battesimale.

LITURGIA BATTESIMALE

*La liturgia battesimale fa parte integrante della veglia
pasquale. Infatti è solo per mezzo del battesimo che noi
possiamo rivivere il mistero della morte e della risurrezione di Cristo.*

*La veglia pasquale raggiunge la sua pienezza quando la
comunità può presentare degli adulti o dei bambini per
il battesimo. Ma anche se questo non è possibile, la liturgia battesimale (che comprende la benedizione del
fonte e la rinnovazione delle promesse) conserva la sua
grande efficacia e spinge la comunità cristiana a rinnovare il suo impegno con Cristo e a proclamare con en-
tusiasmo la sua fede.*

Se ci sono dei battezzandi il sacerdote dice:

Fratelli e sorelle, accompagniamo con preghiera
unanime la gioiosa speranza dei nostri catecumeni, perché Dio Padre onnipotente nella sua grande misericordia li guidi al fonte della rigenerazione.

*Se si benedice il fonte, posto nel presbiterio, senza la
presenza di battezzandi:*

Fratelli e sorelle, invochiamo la benedizione di Dio
Padre onnipotente su questo fonte battesimale,
perché coloro che da esso rinasceranno siano resi
in Cristo figli adottivi.

Litanie dei santi

Signore, pietà.	*Signore, pietà.*
Cristo, pietà.	*Cristo, pietà.*
Signore, pietà.	*Signore, pietà.*
Santa Maria, Madre di Dio,	*prega per noi.*
San Michele,	*prega per noi.*
Santi angeli di Dio,	*pregate per noi.*

San Giovanni Battista,	*prega per noi.*
San Giuseppe,	*prega per noi.*
Santi Pietro e Paolo,	*pregate per noi.*
Sant'Andrea,	*prega per noi.*
San Giovanni,	*prega per noi.*
Santi apostoli ed evangelisti,	*pregate per noi.*
Santa Maria Maddalena,	*prega per noi.*
Santi discepoli del Signore,	*pregate per noi.*
Santo Stefano,	*prega per noi.*
Sant'Ignazio di Antiochia,	*prega per noi.*
San Lorenzo,	*prega per noi.*
Sante Perpetua e Felicita,	*pregate per noi.*
Sant'Agnese,	*prega per noi.*
Santi martiri di Cristo,	*pregate per noi.*
San Gregorio,	*prega per noi.*
Sant'Agostino,	*prega per noi.*
Sant'Atanasio,	*prega per noi.*
San Basilio,	*prega per noi.*
San Martino,	*prega per noi.*
Santi Cirillo e Metodio,	*pregate per noi.*
San Benedetto,	*prega per noi.*
San Francesco,	*prega per noi.*
San Domenico,	*prega per noi.*
San Francesco [Saverio],	*prega per noi.*
San Giovanni Maria [Vianney],	*prega per noi.*
Santa Caterina [da Siena],	*prega per noi.*
Santa Teresa di Gesù,	*prega per noi.*
Santi e sante di Dio,	*pregate per noi.*
Nella tua misericordia,	*salvaci, Signore.*
Da ogni male,	*salvaci, Signore.*
Da ogni peccato,	*salvaci, Signore.*
Dalla morte eterna,	*salvaci, Signore.*
Per la tua incarnazione,	*salvaci, Signore.*

Per la tua morte e risurrezione, *salvaci, Signore.*
Per il dono dello Spirito Santo, *salvaci, Signore.*

Noi peccatori ti preghiamo, *ascoltaci, Signore.*

Se ci sono battezzandi:

Dona la grazia della vita nuova nel
Battesimo a questi tuoi eletti, *ascoltaci, Signore.*

Se non ci sono battezzandi:

Benedici e santifica con la grazia del
tuo Spirito questo fonte battesimale
da cui nascono i tuoi figli, *ascoltaci, Signore.*

Gesù, Figlio del Dio vivente,
ascolta la nostra supplica.

> *Gesù, Figlio del Dio vivente,*
> *ascolta la nostra supplica.*

Se ci sono dei battezzandi, il sacerdote dice la seguente orazione:

Dio onnipotente ed eterno, manifesta la tua presenza nei sacramenti del tuo grande amore e manda lo Spirito di adozione a ricreare nuovi figli dal fonte battesimale, perché l'azione del nostro umile ministero sia resa efficace dalla tua potenza. Per Cristo nostro Signore.
℟. **Amen.**

Benedizione dell'acqua

Ora il sacerdote benedice l'acqua battesimale con la quale si infonderà il battesimo:

O Dio, per mezzo dei segni sacramentali tu operi con invisibile potenza le meraviglie della salvezza, e in molti modi, attraverso i tempi, hai preparato l'acqua, tua creatura, a essere segno del Battesimo.

Fin dalle origini il tuo Spirito si librava sulle acque, perché contenessero in germe la forza di santificare; e anche nel diluvio hai prefigurato il Battesimo, perché, oggi come allora, l'acqua segnasse la fine del peccato e l'inizio della vita nuova.

Tu hai liberato dalla schiavitù i figli di Abramo, facendoli passare illesi attraverso il Mar Rosso, perché fossero immagine del futuro popolo dei battezzati.

Infine, nella pienezza dei tempi, il tuo Figlio, battezzato da Giovanni nell'acqua del Giordano, fu consacrato dallo Spirito Santo; innalzato sulla croce, egli versò dal suo fianco sangue e acqua, e, dopo la sua risurrezione, comandò ai discepoli: «Andate, annunciate il Vangelo a tutti i popoli, e battezzateli nel nome del Padre e del Figlio e dello Spirito Santo».

Ora, Padre, guarda con amore la tua Chiesa e fa' scaturire per lei la sorgente del Battesimo.

Infondi in quest'acqua, per opera dello Spirito Santo, la grazia del tuo unico Figlio, perché con il sacramento del Battesimo l'uomo, fatto a tua immagine, sia lavato dalla macchia del peccato, e dall'acqua e dallo Spirito Santo rinasca come nuova creatura.

Il sacerdote immerge il cero pasquale nell'acqua:

Discenda, Padre, in quest'acqua, per opera del tuo Figlio, la potenza dello Spirito Santo. Tutti coloro che in essa riceveranno il Battesimo, sepolti insieme con Cristo nella morte, con lui risorgano alla vita immortale. Egli è Dio...

℟. **Amen.**

Il sacerdote toglie il cero dall'acqua, e l'assemblea fa questa acclamazione o altra simile:

℟ **Sorgenti delle acque, benedite il Signore: lodatelo ed esaltatelo nei secoli.**

Benedizione dell'acqua lustrale

Se non si deve benedire il fonte battesimale, né ci sono battezzandi, il sacerdote invita il popolo alla preghiera e benedice l'acqua con la quale saranno aspersi i fedeli, dicendo:

Fratelli e sorelle, supplichiamo il Signore Dio nostro perché benedica quest'acqua da lui creata, con la quale saremo aspersi in memoria del nostro Battesimo. Il Signore ci rinnovi interiormente, per essere sempre fedeli allo Spirito Santo che ci è stato dato in dono.

Dopo una breve pausa di silenzio, prosegue:

Signore Dio nostro, sii presente in mezzo al tuo popolo che veglia in preghiera in questa santissima notte: memori dell'opera mirabile della nostra creazione e dell'opera ancor più mirabile della nostra salvezza, ti preghiamo di benedire ✠ quest'acqua. Tu l'hai creata perché donasse fecondità alla terra e offrisse sollievo e freschezza ai nostri corpi. Di questo dono della creazione hai fatto un segno della tua misericordia: attraverso l'acqua del Mar Rosso hai liberato il tuo popolo dalla schiavitù e nel deserto hai placato la sua sete con acqua dalla roccia.

Con l'immagine dell'acqua viva i profeti hanno preannunciato la nuova alleanza che tu intendevi offrire agli uomini. Infine con l'acqua, santificata da Cristo nel Giordano, hai rinnovato la nostra umanità peccatrice nel lavacro battesimale.

Ravviva in noi, o Signore, nel segno di quest'acqua benedetta, il ricordo del nostro Battesimo e donaci di essere uniti nella gioia ai nostri fratelli che sono stati battezzati nella Pasqua di Cristo Signore. Egli vive e regna nei secoli dei secoli.

R̸. **Amen.**

Rinnovo delle promesse battesimali

Il sacerdote invita l'assemblea a rinnovare le promesse battesimali. Tutti i fedeli, stando in piedi e tenendo in mano la candela accesa, simbolo della fede, rispondono ad alta voce alle domande.

Fratelli e sorelle, per la grazia del mistero pasquale siamo stati sepolti insieme con Cristo nel Battesimo, per camminare con lui in una vita nuova. Ora, portato a termine il cammino quaresimale, rinnoviamo le promesse del santo Battesimo, con le quali un giorno abbiamo rinunciato a satana e alle sue opere, e ci siamo impegnati a servire Dio nella santa Chiesa cattolica.

Rinunciate a satana?

R̸. **Rinuncio.**

E a tutte le sue opere?

R̸. **Rinuncio.**

E a tutte le sue seduzioni?

R̸. **Rinuncio.**

Oppure:

Rinunciate al peccato, per vivere nella libertà dei figli di Dio?

℟. **Rinuncio.**

Rinunciate alle seduzioni del male, per non lasciarvi dominare dal peccato?

℟. **Rinuncio.**

Rinunciate a satana, origine e causa di ogni peccato?

℟. **Rinuncio.**

Credete in Dio, Padre onnipotente, creatore del cielo e della terra?

℟. **Credo.**

Credete in Gesù Cristo, suo unico Figlio, nostro Signore, che nacque da Maria Vergine, morì e fu sepolto, è risuscitato dai morti e siede alla destra del Padre?

℟. **Credo.**

Credete nello Spirito Santo, la santa Chiesa cattolica, la comunione dei santi, la remissione dei peccati, la risurrezione della carne e la vita eterna?

℟. **Credo.**

Il sacerdote conclude:

Dio onnipotente, Padre del nostro Signore Gesù Cristo, che ci ha liberati dal peccato e ci ha fatti rinascere dall'acqua e dallo Spirito Santo, ci custodisca con la sua grazia per la vita eterna, in Cristo Gesù, nostro Signore.

℟. **Amen.**

Il sacerdote asperge l'assemblea con l'acqua benedetta,
mentre si esegue un canto adatto o si recita l'antifona:

Ecco l'acqua che sgorga dal tempio santo di Dio,
alleluia; e a quanti giungerà quest'acqua, porterà
salvezza ed essi canteranno: alleluia, alleluia.

Preghiera dei fedeli

In questa notte, in cui risplende la luce di Cristo,
siamo percorsi da un fremito di gioia. E il tuo
regno, o Dio, non ci appare più come un sogno
irrealizzabile, ma come un progetto che va verso
il compimento. La morte non ci fa più paura perché sappiamo di poterla attraversare vittoriosi,
come Cristo. E allora ci rivolgiamo a te, nostro
Padre, e ti chiediamo:

℞. **Trasforma i nostri cuori e infondi speranza.**

— In questa notte tutte le celebrazioni trabocchi-
no di speranza, perché tutti quelli che vi partecipano tornino alle loro case rinvigoriti e
consolati. Preghiamo. ℞.

— In questa notte la morte, vinta da Cristo, continua ancora a mietere vittime nell'odio che
distrugge e separa, nella vendetta che origina
spirali di violenza e nella gelosia che devasta i
sentimenti: rendici capaci di fermare ogni
malvagità. Preghiamo. ℞.

— In questa notte imperversa ancora l'egoismo
che fa morire di fame e vivere nella solitudine
e nella disperazione uomini e donne che non
hanno lavoro, casa, medicine. Ridesta la nostra coscienza perché non restiamo sordi alle
invocazioni di aiuto. Preghiamo. ℞.

— In questa notte anche l'amore continua la sua azione discreta ed efficace nel lavoro di medici e personale ospedaliero. Fa' crescere la fraternità attraverso tanti gesti di tenerezza verso gli ammalati, gli anziani e coloro che sono nella sofferenza. Preghiamo. ℟.

— In questa notte la misericordia raggiunge luoghi impensati e un semplice scambio di auguri riporta serenità e dolcezza. Moltiplica il numero di coloro che manifestano compassione anche là dove sembra regnare solo violenza e sopruso. Preghiamo. ℟

Questa notte, Signore Dio, non è come tutte le altre notti. Questa è la notte in cui il tuo Figlio è risorto. E noi con lui. Questa è la notte in cui la vita umilia la morte e l'amore mostra di essere più forte di ogni sentimento cattivo. Benedetto il tuo Cristo per i secoli dei secoli.
℟ **Amen.**

LITURGIA EUCARISTICA

Il celebrante si accosta all'altare e prosegue al modo solito con l'offertorio.

Sulle offerte

Con queste offerte accogli, o Signore, le preghiere del tuo popolo, perché i sacramenti, scaturiti dal mistero pasquale, per tua grazia ci ottengano la salvezza eterna. Per Cristo nostro Signore.
℟ **Amen.**

Prefazio

È veramente cosa buona e giusta, nostro dovere e fonte di salvezza, proclamare sempre la tua gloria, o Signore, e soprattutto esaltarti in questa notte nella quale Cristo, nostra Pasqua, si è immolato.

È lui il vero Agnello che ha tolto i peccati del mondo, è lui che morendo ha distrutto la morte e risorgendo ha ridato a noi la vita.

Per questo mistero, nella pienezza della gioia pasquale, l'umanità esulta su tutta la terra e le schiere degli angeli e dei santi cantano senza fine l'inno della tua gloria: **Santo...**

Antifona alla comunione

Cristo, nostra Pasqua, è stato immolato! Alleluia. Celebriamo dunque la festa con azzimi di sincerità e di verità. Alleluia, alleluia.

Dopo la comunione

Infondi in noi, o Signore, lo Spirito della tua carità, perché saziati dai sacramenti pasquali viviamo concordi nel tuo amore. Per Cristo nostro Signore.

℟. **Amen.**

Nel congedo dell'assemblea:

La messa è finita: andate in pace. Alleluia, alleluia.
℟. **Rendiamo grazie a Dio. Alleluia, alleluia.**

Oppure:

Portate a tutti la gioia del Signore risorto. Andate in pace. Alleluia, alleluia.
℟. **Rendiamo grazie a Dio. Alleluia, alleluia.**

b) DOMENICA DI PASQUA
NELLA RISURREZIONE DEL SIGNORE

MESSA DEL GIORNO

Risplende di luce angelica, dinanzi a noi, il sepolcro vuoto del Cristo, che mette alla prova la nostra fede (Vangelo). San Pietro incomincia oggi la sua predicazione annunciando Cristo risorto e il suo mistero di salvezza universale (I lettura). L'apostolo Paolo traccia le linee portanti della vita pasquale: Cristo, vita nostra, ha deposto in noi i germi della nuova creatura che dobbiamo far crescere, nella tensione «alle cose di lassù, non a quelle della terra» (II lettura). Ora la gloria della grazia «è nascosta col Cristo in Dio»; ma un giorno anche noi risplenderemo con Cristo nella gloria della risurrezione.

Antifona d'ingresso

Sono risorto, o Padre, e sono sempre con te. Alleluia. Hai posto su di me la tua mano. Alleluia. È stupenda per me la tua saggezza. Alleluia, alleluia.

Oppure:

Il Signore è veramente risorto. Alleluia. A lui gloria e potenza nei secoli eterni. Alleluia, alleluia.

Colletta

O Padre, che in questo giorno, per mezzo del tuo Figlio unigenito, hai vinto la morte e ci hai aperto il passaggio alla vita eterna, concedi a noi, che celebriamo la risurrezione del Signore, di rinascere nella luce della vita, rinnovati dal tuo Spirito. Per il nostro Signore...

℟ **Amen.**

Prima lettura

Noi abbiamo mangiato e bevuto con lui dopo la risurrezione dai morti.

La predicazione apostolica, che ha in Pietro il suo interprete più autorevole, ha il tema fondamentale nell'annuncio della morte e risurrezione di Cristo. Egli è il Salvatore del mondo.

Dagli Atti degli Apostoli   (10,34a.37-43)

In quei giorni, Pietro prese la parola e disse: «Voi sapete ciò che è accaduto in tutta la Giudea, cominciando dalla Galilea, dopo il battesimo predicato da Giovanni; cioè come Dio consacrò in Spirito Santo e potenza Gesù di Nàzaret, il quale passò beneficando e risanando tutti coloro che stavano sotto il potere del diavolo, perché Dio era con lui.

E noi siamo testimoni di tutte le cose da lui compiute nella regione dei Giudei e in Gerusalemme. Essi lo uccisero appendendolo a una croce, ma Dio lo ha risuscitato al terzo giorno e volle che si manifestasse, non a tutto il popolo, ma a testimoni prescelti da Dio, a noi che abbiamo mangiato e bevuto con lui dopo la sua risurrezione dai morti. E ci ha ordinato di annunciare al popolo e di testimoniare che egli è il giudice dei vivi e dei morti, costituito da Dio. A lui tutti i profeti danno questa testimonianza: chiunque crede in lui riceve il perdono dei peccati per mezzo del suo nome».

— Parola di Dio.

℟. **Rendiamo grazie a Dio.**

Salmo responsoriale   (dal Sal 117)

℟. *Questo è il giorno che ha fatto il Signore: rallegriamoci ed esultiamo.*

Oppure:

Alleluia, alleluia, alleluia.

Rendete grazie al Signore perché è buono,
perché il suo amore è per sempre.
Dica Israele:
«Il suo amore è per sempre». ℞.

La destra del Signore si è innalzata,
la destra del Signore ha fatto prodezze.
Non morirò, ma resterò in vita
e annuncerò le opere del Signore. ℞.

La pietra scartata dai costruttori
è divenuta la pietra d'angolo.
Questo è stato fatto dal Signore:
una meraviglia ai nostri occhi. ℞.

Seconda lettura

Cercate le cose di lassù, dove è Cristo.

La risurrezione di Cristo esige una vita ispirata a una visione nuova della realtà: dobbiamo sempre cercare le cose di lassù.

Dalla lettera di san Paolo apostolo ai Colossési

(3,1-4)

Fratelli, se siete risorti con Cristo, cercate le cose di lassù, dove è Cristo, seduto alla destra di Dio; rivolgete il pensiero alle cose di lassù, non a quelle della terra.
Voi infatti siete morti e la vostra vita è nascosta con Cristo in Dio! Quando Cristo, vostra vita, sarà manifestato, allora anche voi apparirete con lui nella gloria.
— Parola di Dio.
℞. **Rendiamo grazie a Dio.**

Oppure a scelta:

Togliete il lievito vecchio, per essere pasta nuova.

Come gli Ebrei gettavano via dalle case il vecchio lievito, per essere «azzimi», così il cristiano deve purificarsi per essere degno di celebrare la Pasqua di Cristo.

Dalla prima lettera di san Paolo apostolo ai Corìnzi

(5,6b-8)

Fratelli, non sapete che un po' di lievito fa fermentare tutta la pasta? Togliete via il lievito vecchio, per essere pasta nuova, poiché siete àzzimi. E infatti Cristo, nostra Pasqua, è stato immolato! Celebriamo dunque la festa non con il lievito vecchio, né con lievito di malizia e di perversità, ma con àzzimi di sincerità e di verità.

— Parola di Dio.

℟. **Rendiamo grazie a Dio.**

Sequenza (*Victimae paschali laudes*, cf. p. 284)

Alla vittima pasquale,
s'innalzi oggi il sacrificio di lode.
L'Agnello ha redento il suo gregge,
l'Innocente ha riconciliato
noi peccatori col Padre.

Morte e Vita si sono affrontate
in un prodigioso duello.
Il Signore della vita era morto;
ma ora, vivo, trionfa.

«Raccontaci, Maria:
che hai visto sulla via?».
«La tomba del Cristo vivente,
la gloria del Cristo risorto,
e gli angeli suoi testimoni,

il sudario e le sue vesti.
Cristo, mia speranza, è risorto:
precede i suoi in Galilea».

Sì, ne siamo certi:
Cristo è davvero risorto.
Tu, Re vittorioso,
abbi pietà di noi.

Canto al Vangelo

Alleluia, alleluia.
Cristo, nostra Pasqua, è stato immolato:
facciamo festa nel Signore.
Alleluia.

Vangelo

Al posto di questo Vangelo si può riprendere quello proclamato nella veglia (cf. pp. 152-154).

Egli doveva risuscitare dai morti.

Pietro e Giovanni sono i primi testimoni, con Maria di Magdala, della risurrezione di Cristo. Per loro mezzo l'annuncio giungerà a tutti gli uomini.

✠ **Dal Vangelo secondo Giovanni** (20,1-9)

Il primo giorno della settimana, Maria di Màgdala si recò al sepolcro di mattino, quando era ancora buio, e vide che la pietra era stata tolta dal sepolcro.
Corse allora e andò da Simon Pietro e dall'altro discepolo, quello che Gesù amava, e disse loro: «Hanno portato via il Signore dal sepolcro e non sappiamo dove l'hanno posto!».
Pietro allora uscì insieme all'altro discepolo e si recarono al sepolcro. Correvano insieme tutti e

due, ma l'altro discepolo corse più veloce di Pietro e giunse per primo al sepolcro. Si chinò, vide i teli posati là, ma non entrò.

Giunse intanto anche Simon Pietro, che lo seguiva, ed entrò nel sepolcro e osservò i teli posati là, e il sudario – che era stato sul suo capo – non posato là con i teli, ma avvolto in un luogo a parte.

Allora entrò anche l'altro discepolo, che era giunto per primo al sepolcro, e vide e credette. Infatti non avevano ancora compreso la Scrittura, che cioè egli doveva risorgere dai morti.

— Parola del Signore.

℟. **Lode a te, o Cristo.**

Nella messa vespertina si può anche leggere questo Vangelo.

Resta con noi perché si fa sera.

Alla sera della domenica di Risurrezione Gesù appare a due discepoli, rivela loro il senso profetico della sua missione e si fa riconoscere nell'atto di spezzare il pane. È quanto continua ad avvenire in ogni messa.

✠ **Dal Vangelo secondo Luca**   (24,13-35)

Ed ecco, in quello stesso giorno, [il primo della settimana,] due [dei discepoli] erano in cammino per un villaggio di nome Èmmaus, distante circa undici chilometri da Gerusalemme, e conversavano tra loro di tutto quello che era accaduto. Mentre conversavano e discutevano insieme, Gesù in persona si avvicinò e camminava con loro. Ma i loro occhi erano impediti a riconoscerlo.

Ed egli disse loro: «Che cosa sono questi discorsi che state facendo tra voi lungo il cammino?». Si fermarono, col volto triste; uno di loro, di nome

Clèopa, gli rispose: «Solo tu sei forestiero a Gerusalemme! Non sai ciò che vi è accaduto in questi giorni?». Domandò loro: «Che cosa?». Gli risposero: «Ciò che riguarda Gesù, il Nazareno, che fu profeta potente in opere e in parole, davanti a Dio e a tutto il popolo; come i capi dei sacerdoti e le nostre autorità lo hanno consegnato per farlo condannare a morte e lo hanno crocifisso. Noi speravamo che egli fosse colui che avrebbe liberato Israele; con tutto ciò, sono passati tre giorni da quando queste cose sono accadute. Ma alcune donne, delle nostre, ci hanno sconvolti; si sono recate al mattino alla tomba e, non avendo trovato il suo corpo, sono venute a dirci di aver avuto anche una visione di angeli, i quali affermano che egli è vivo. Alcuni dei nostri sono andati alla tomba e hanno trovato come avevano detto le donne, ma lui non l'hanno visto».

Disse loro: «Stolti e lenti di cuore a credere in tutto ciò che hanno detto i profeti! Non bisognava che il Cristo patisse queste sofferenze per entrare nella sua gloria?». E, cominciando da Mosè e da tutti i profeti, spiegò loro in tutte le Scritture ciò che si riferiva a lui.

Quando furono vicini al villaggio dove erano diretti, egli fece come se dovesse andare più lontano. Ma essi insistettero: «Resta con noi, perché si fa sera e il giorno è ormai al tramonto». Egli entrò per rimanere con loro.

Quando fu a tavola con loro, prese il pane, recitò la benedizione, lo spezzò e lo diede loro. Allora si aprirono loro gli occhi e lo riconobbero. Ma egli sparì dalla loro vista. Ed essi dissero l'un l'altro: «Non ardeva forse in noi il nostro cuore mentre

egli conversava con noi lungo la via, quando ci spiegava le Scritture?».
Partirono senza indugio e fecero ritorno a Gerusalemme, dove trovarono riuniti gli Undici e gli altri che erano con loro, i quali dicevano: «Davvero il Signore è risorto ed è apparso a Simone!». Ed essi narravano ciò che era accaduto lungo la via e come l'avevano riconosciuto nello spezzare il pane.

— Parola del Signore.

℟. **Lode a te, o Cristo.**

Preghiera dei fedeli

Fratelli e sorelle, in questo giorno santo condividiamo la gioia della vita nuova, comunicata dal Risorto a noi e a tutti i battezzati. Il Signore porti al Padre le invocazioni, che ora salgono a lui da questa comunità, riunita nel suo nome. Imploriamo:

℟. **Ascoltaci, o Signore!**

— Signore risorto, guarda la tua Chiesa perché, trasformata dalla potenza del tuo amore, si conformi sempre più alla tua immagine. Rinnovala con la forza del Vangelo, perché lo proclami agli altri e arricchisca il mondo di valori cristiani, ti preghiamo. ℟.

— Signore risorto, dona la tua pace ai popoli che convivono con la guerra e la violenza. Proteggi quanti sono costretti a fuggire dalla propria terra per motivi politici o a causa di calamità naturali, e soccorri i poveri e gli emarginati, ti preghiamo. ℟.

— Signore risorto, risveglia la fede nei ragazzi e nei giovani. Illumina le coppie in crisi e le famiglie divise, riaprendo loro la strada della riconciliazione. Risolleva i malati e i sofferenti, ti preghiamo. ℟.

— Signore risorto, fa' che ogni domenica ti incontriamo a questo banchetto eucaristico, per liberarci dalle divisioni e gustare la bellezza dell'unità. La tua Parola ci converta e ci sostenga nelle prove, rendendoci coraggiosi e costruttivi, ti preghiamo. ℟.

Padre, ascolta le invocazioni che in questi giorni di Pasqua si elevano a te dalle molteplici situazioni presenti nel mondo. Aiutaci a sperimentare il tuo infinito amore, perché, animati dallo Spirito nel ricordare le meraviglie delle tue opere, viviamo nella tua pace. Per Cristo nostro Signore.
℟. Amen.

Sulle offerte

Esultanti per la gioia pasquale, ti offriamo, o Signore, questo sacrificio nel quale mirabilmente rinasce e si nutre la tua Chiesa. Per Cristo nostro Signore.
℟. Amen.

Prefazio

È veramente cosa buona e giusta, nostro dovere e fonte di salvezza, proclamare sempre la tua gloria, o Signore, e soprattutto esaltarti in questo giorno nel quale Cristo, nostra Pasqua, si è immolato.

È lui il vero Agnello che ha tolto i peccati del mondo, è lui che morendo ha distrutto la morte e risorgendo ha ridato a noi la vita.

Per questo mistero, nella pienezza della gioia pasquale, l'umanità esulta su tutta la terra e le schiere degli angeli e dei santi cantano senza fine l'inno della tua gloria: **Santo...**

Antifona alla comunione

Cristo, nostra Pasqua, è stato immolato! Alleluia. Celebriamo dunque la festa con azzimi di sincerità e di verità. Alleluia, alleluia.

Oppure:

Gesù, il crocifisso, è risorto come aveva predetto. Alleluia.

Oppure, alla sera:

Resta con noi, Signore, perché si fa sera e il giorno è ormai al tramonto. Alleluia.

Dopo la comunione

Proteggi sempre la tua Chiesa, Dio onnipotente, con l'inesauribile forza del tuo amore, perché, rinnovata dai sacramenti pasquali, giunga alla gloria della risurrezione. Per Cristo nostro Signore.

℟. **Amen.**

Nel congedo dell'assemblea:

La messa è finita: andate in pace. Alleluia, alleluia.

℟. **Rendiamo grazie a Dio. Alleluia, alleluia.**

Oppure:

Portate a tutti la gioia del Signore risorto. Andate in pace. Alleluia, alleluia.

℟. **Rendiamo grazie a Dio. Alleluia, alleluia.**

ORDINARIO
DELLA MESSA

Proponiamo le formule e le preghiere eucaristiche utilizzate più di frequente (S = Sacerdote; T = Tutti).

RITI DI INTRODUZIONE

Saluto del celebrante

Il sacerdote, dopo aver baciato l'altare, va alla sede. Terminato il canto o l'antifona, tutti si segnano col segno di croce.

S Nel nome del Padre e del Figlio e dello Spirito Santo.

T **Amen.**

S La grazia del Signore nostro Gesù Cristo, l'amore di Dio Padre e la comunione dello Spirito Santo siano con tutti voi.

T **E con il tuo spirito.**

Oppure:

S La grazia e la pace di Dio nostro Padre e del Signore nostro Gesù Cristo siano con tutti voi.

T **E con il tuo spirito.**

Atto penitenziale

Il sacerdote esorta i fedeli a chiedere perdono a Dio dei peccati commessi, e li invita alla penitenza.

1ª forma

S Fratelli e sorelle, per celebrare degnamente i santi misteri, riconosciamo i nostri peccati.

(pausa)

T **Confesso a Dio onnipotente e a voi, fratelli e sorelle, che ho molto peccato in pensieri, parole, opere e omissioni, per mia colpa, mia colpa, mia grandissima colpa.**

E supplico la beata sempre Vergine Maria, gli angeli, i santi e voi, fratelli e sorelle, di pregare per me il Signore Dio nostro.

S   Dio onnipotente abbia misericordia di noi, perdoni i nostri peccati e ci conduca alla vita eterna.

T   **Amen.**

Invocazioni

S Signore, pietà.	T **Signore, pietà.**
S Cristo, pietà.	T **Cristo, pietà.**
S Signore, pietà.	T **Signore, pietà.**

2ª forma

S   Fratelli e sorelle, all'inizio di questa celebrazione eucaristica, invochiamo la misericordia di Dio, fonte di riconciliazione e di comunione.

(pausa)

S   Pietà di noi, Signore.

T   **Contro di te abbiamo peccato.**

S   Mostraci, Signore, la tua misericordia.

T   **E donaci la tua salvezza.**

S   Dio onnipotente abbia misericordia di noi, perdoni i nostri peccati e ci conduca alla vita eterna.

T   **Amen.**

Seguono le invocazioni: «Signore, pietà» (vedi sopra).

3ª forma

S   Gesù Cristo, il giusto, intercede per noi e ci riconcilia con il Padre: per accostarci degna-

mente alla mensa del Signore, invochiamolo
con cuore pentito.

(pausa)

_____

Nel tempo di Quaresima:

S Signore, che ci inviti al perdono fraterno prima
di presentarci al tuo altare, Kýrie, eléison.

T Kýrie, eléison.

S Cristo, che sulla croce hai invocato il perdono
per i peccatori, Christe, eléison.

T **Christe, eléison.**

S Signore, che hai effuso lo Spirito per la remissione dei peccati, Kýrie, eléison.

T **Kýrie, eléison.**

S Dio onnipotente abbia misericordia di noi, perdoni i nostri peccati e ci conduca alla vita eterna.

T **Amen.**

_____

Nel tempo di Pasqua:

S Signore, nostra pace, Kýrie, eléison.

T **Kýrie, eléison.**

S Cristo, nostra Pasqua, Christe, eléison.

T **Christe, eléison.**

S Signore, nostra vita, Kýrie, eléison.

T **Kýrie, eléison.**

S Dio onnipotente abbia misericordia di noi, perdoni i nostri peccati e ci conduca alla vita eterna.

T **Amen.**

Dalla notte della veglia pasquale si canta o recita l'inno del Gloria.

S Gloria a Dio nell'alto dei cieli

T e pace in terra agli uomini amati dal Signore. Noi ti lodiamo, ti benediciamo, ti adoriamo, ti glorifichiamo, ti rendiamo grazie per la tua gloria immensa, Signore Dio, Re del cielo, Dio Padre onnipotente. Signore, Figlio unigenito, Gesù Cristo, Signore Dio, Agnello di Dio, Figlio del Padre, tu che togli i peccati del mondo, abbi pietà di noi; tu che togli i peccati del mondo, accogli la nostra supplica; tu che siedi alla destra del Padre, abbi pietà di noi. Perché tu solo il Santo, tu solo il Signore, tu solo l'Altissimo, Gesù Cristo, con lo Spirito Santo nella gloria di Dio Padre. Amen.

Colletta

Con l'orazione, chiamata «colletta», il sacerdote raccoglie e presenta a Dio le intenzioni di tutta l'assemblea, dicendo:

S Preghiamo.

Dopo una pausa di silenzio, segue l'orazione con l'appropriata conclusione, a cui tutti rispondono:

T Amen.

LITURGIA DELLA PAROLA

Attraverso la liturgia della Parola Dio ci fa sentire la sua voce e ci manifesta la sua volontà. Nei giorni festivi normalmente ci sono tre letture: la prima è presa dall'Antico Testamento, la seconda dalla lettera di un apostolo, la terza dal Vangelo. La Settimana santa e il triduo pasquale hanno uno sviluppo del tutto particolare, come descritto nella prima parte.

Prima e seconda lettura

Il lettore termina dicendo:

— Parola di Dio.

T Rendiamo grazie a Dio.

Dopo la prima lettura segue il salmo responsoriale: *l'assemblea ripete il ritornello. Dopo la seconda lettura segue il* canto al Vangelo *che durante la Settimana santa propone la ripetizione di un ritornello apposito, mentre a Pasqua al versetto segue l'*Alleluia.

Vangelo

S Il Signore sia con voi.

T E con il tuo spirito.

S Dal Vangelo secondo N.

T Gloria a te, o Signore.

Il sacerdote o il diacono termina dicendo:

— Parola del Signore.

T Lode a te, o Cristo.

Quindi il sacerdote tiene l'omelia, a cui segue, nelle domeniche e nelle solennità, il Credo.

S Credo in un solo Dio,

T Padre onnipotente, creatore del cielo e della terra, di tutte le cose visibili e invisibili.
Credo in un solo Signore, Gesù Cristo, unigenito Figlio di Dio, nato dal Padre prima di tutti i secoli: Dio da Dio, Luce da Luce, Dio vero da Dio vero, generato, non creato, della stessa sostanza del Padre; per mezzo di lui tutte le cose sono state create.

Per noi uomini e per la nostra salvezza disce-
se dal cielo, e per opera dello Spirito Santo
[*inchino*] si è incarnato nel seno della Vergine
Maria e si è fatto uomo.
Fu crocifisso per noi sotto Ponzio Pilato, morì e fu sepolto. Il terzo giorno è risuscitato,
secondo le Scritture, è salito al cielo, siede
alla destra del Padre. E di nuovo verrà, nella
gloria, per giudicare i vivi e i morti, e il suo
regno non avrà fine.
Credo nello Spirito Santo, che è Signore e dà
la vita, e procede dal Padre e dal Figlio. Con il
Padre e il Figlio è adorato e glorificato, e ha
parlato per mezzo dei profeti.
Credo la Chiesa, una, santa, cattolica e apostolica. Professo un solo Battesimo per il perdono dei peccati. Aspetto la risurrezione dei
morti e la vita del mondo che verrà. Amen.

Preghiera dei fedeli

Quindi segue la preghiera universale, *detta anche* preghiera dei fedeli, *perché con essa si elevano a Dio invocazioni per le necessità della Chiesa e di tutti gli uomini.*

LITURGIA EUCARISTICA

*Inizia con l'offertorio la seconda parte della messa, chia-
mata* liturgia eucaristica.

Preparazione delle offerte

*Il sacerdote si reca all'altare. Su di esso vengono deposti
il pane e il vino per il sacrificio. L'assemblea esegue un*

canto adatto. Il sacerdote, sollevando la patena con il pane, dice:

S Benedetto sei tu, Signore, Dio dell'universo: dalla tua bontà abbiamo ricevuto questo pane, frutto della terra e del lavoro dell'uomo; lo presentiamo a te, perché diventi per noi cibo di vita eterna.

T Benedetto nei secoli il Signore.

Poi sollevando il calice, dice:

S Benedetto sei tu, Signore, Dio dell'universo: dalla tua bontà abbiamo ricevuto questo vino, frutto della vite e del lavoro dell'uomo; lo presentiamo a te, perché diventi per noi bevanda di salvezza.

T Benedetto nei secoli il Signore.

Quindi, volgendosi all'assemblea, invita alla preghiera dicendo:

S Pregate, fratelli e sorelle, perché il mio e vostro sacrificio sia gradito a Dio Padre onnipotente.

T Il Signore riceva dalle tue mani questo sacrificio a lode e gloria del suo nome, per il bene nostro e di tutta la sua santa Chiesa.

Orazione sulle offerte

Il sacerdote, con un'orazione propria, supplica il Signore di accogliere noi e le nostre offerte a lode della sua gloria. L'assemblea risponde:

R Amen.

Prefazio

Dialogo iniziale di introduzione:

S Il Signore sia con voi.

T E con il tuo spirito.

S In alto i nostri cuori.
T **Sono rivolti al Signore.**
S Rendiamo grazie al Signore nostro Dio.
T **È cosa buona e giusta.**

Poi il sacerdote, a nome dell'assemblea, recita la pre-
ghiera del prefazio, *che è un solenne e gioioso inno di*
lode e di ringraziamento a Dio. Per la Settimana santa e
il triduo pasquale sono riportati nella prima parte.
Alla fine del prefazio tutti insieme cantano o acclamano:

T **Santo, Santo, Santo il Signore Dio dell'uni-**
   verso.
   I cieli e la terra sono pieni della tua gloria.
   Osanna nell'alto dei cieli.
   Benedetto colui che viene nel nome del Si-
   gnore.
   Osanna nell'alto dei cieli.

Il sacerdote a nome dell'assemblea recita la Preghiera
eucaristica, *durante la quale ripete le parole e i gesti che*
Cristo ha compiuto nell'ultima cena, e consacra l'euca-
ristia.

Preghiera eucaristica I (Canone romano)

Supplica a Dio Padre

Padre clementissimo, noi ti supplichiamo e ti
chiediamo per Gesù Cristo, tuo Figlio e nostro
Signore, di accettare e benedire ✠ questi doni,
queste offerte, questo sacrificio puro e santo.

Preghiera per tutta la Chiesa

Noi te l'offriamo anzitutto per la tua Chiesa santa
e cattolica, perché tu le dia pace, la protegga, la
raduni e la governi su tutta la terra in unione con

il tuo servo il nostro papa N., il nostro vescovo N.,
e con tutti quelli che custodiscono la fede cattolica, trasmessa dagli apostoli.

Preghiera secondo le intenzioni dei fedeli

Ricordati, Signore, dei tuoi fedeli [N. e N.].
Ricordati di tutti coloro che sono qui riuniti, dei
quali conosci la fede e la devozione: per loro ti
offriamo e anch'essi ti offrono questo sacrificio
di lode, e innalzano la preghiera a te, Dio eterno,
vivo e vero, per ottenere a sé e ai loro cari redenzione, sicurezza di vita e salute.

*Il giovedì santo nella messa della cena del Signore e poi
dalla veglia pasquale per tutta l'ottava sono previste parti proprie da questo punto in poi: cf. a pp. 186-188.*

Memoria dei santi

In comunione con tutta la Chiesa, ricordiamo e
veneriamo anzitutto la gloriosa e sempre Vergine
Maria, Madre del nostro Dio e Signore Gesù Cristo, san Giuseppe, suo sposo, i tuoi santi apostoli
e martiri: Pietro e Paolo, Andrea, [Giacomo, Giovanni, Tommaso, Giacomo, Filippo, Bartolomeo,
Matteo, Simone e Taddeo; Lino, Cleto, Clemente,
Sisto, Cornelio e Cipriano, Lorenzo, Crisògono,
Giovanni e Paolo, Cosma e Damiano] e tutti i tuoi
santi; per i loro meriti e le loro preghiere donaci
sempre aiuto e protezione.

Presentazione dell'offerta

Accetta con benevolenza, o Signore, questa offerta che ti presentiamo noi tuoi ministri e tutta la
tua famiglia: disponi nella tua pace i nostri giorni, salvaci dalla dannazione eterna, e accoglici nel
gregge dei tuoi eletti.

Invocazione per la consacrazione

Santifica, o Dio, questa offerta con la potenza della tua benedizione, e degnati di accettarla a nostro favore, in sacrificio spirituale e perfetto, perché diventi per noi il Corpo e il Sangue del tuo amatissimo Figlio, il Signore nostro Gesù Cristo.

Racconto dell'istituzione

La vigilia della sua passione, egli prese il pane nelle sue mani sante e venerabili, e alzando gli occhi al cielo a te, Dio Padre suo onnipotente, rese grazie con la preghiera di benedizione, spezzò il pane, lo diede ai suoi discepoli e disse:

Il giovedì santo, in luogo delle precedenti, si dicono le seguenti orazioni proprie:

In comunione con tutta la Chiesa, mentre celebriamo il giorno santissimo nel quale Gesù Cristo nostro Signore fu consegnato alla morte per noi, ricordiamo e veneriamo anzitutto la gloriosa e sempre Vergine Maria, Madre del nostro Dio e Signore Gesù Cristo, san Giuseppe, suo sposo, i tuoi santi apostoli e martiri: Pietro e Paolo, Andrea, [Giacomo, Giovanni, Tommaso, Giacomo, Filippo, Bartolomeo, Matteo, Simone e Taddeo; Lino, Cleto, Clemente, Sisto, Cornelio e Cipriano, Lorenzo, Crisògono, Giovanni e Paolo, Cosma e Damiano] e tutti i tuoi santi; per i loro meriti e le loro preghiere donaci sempre aiuto e protezione.

Accetta con benevolenza, o Signore, questa offerta che ti presentiamo noi tuoi ministri e tutta la tua famiglia: nel giorno in cui Gesù Cristo nostro Signore affidò ai suoi discepoli il mistero del suo

Corpo e del suo Sangue, perché lo celebrassero in sua memoria. Disponi nella tua pace i nostri giorni, salvaci dalla dannazione eterna, e accoglici nel gregge degli eletti.

Santifica, o Dio, questa offerta con la potenza della tua benedizione, e degnati di accettarla a nostro favore, in sacrificio spirituale e perfetto, perché diventi per noi il Corpo e il Sangue del tuo amatissimo Figlio, il Signore nostro Gesù Cristo.

In questo giorno, vigilia della sua passione, sofferta per la salvezza nostra e del mondo intero, egli prese il pane nelle sue mani sante e venerabili, e alzando gli occhi al cielo a te, Dio Padre suo onnipotente, rese grazie con la preghiera di benedizione, spezzò il pane, lo diede ai suoi discepoli e disse:

Dalla veglia pasquale alla seconda domenica:

In comunione con tutta la Chiesa, mentre celebriamo il giorno santissimo [la notte santissima] della risurrezione di nostro Signore Gesù Cristo nel suo vero corpo, ricordiamo e veneriamo anzitutto la gloriosa e sempre Vergine Maria, Madre del nostro Dio e Signore Gesù Cristo, san Giuseppe, suo sposo, i tuoi santi apostoli e martiri: Pietro e Paolo, Andrea, [Giacomo, Giovanni, Tommaso, Giacomo, Filippo, Bartolomeo, Matteo, Simone e Taddeo; Lino, Cleto, Clemente, Sisto, Cornelio e Cipriano, Lorenzo, Crisògono, Giovanni e Paolo, Cosma e Damiano] e tutti i tuoi santi; per i loro meriti e le loro preghiere donaci sempre aiuto e protezione.

Accetta con benevolenza, o Signore, questa offerta che noi tuoi ministri e tutta la tua famiglia ti presentiamo anche per i nostri fratelli [N. e N.], che ti sei degnato di far rinascere dall'acqua e dallo Spirito Santo, accordando loro il perdono di tutti i peccati. Disponi nella tua pace i nostri giorni, salvaci dalla dannazione eterna, e accoglici nel gregge dei tuoi eletti.

Santifica, o Dio, questa offerta con la potenza della tua benedizione, e degnati di accettarla a nostro favore, in sacrificio spirituale e perfetto, perché diventi per noi il Corpo e il Sangue del tuo amatissimo Figlio, il Signore nostro Gesù Cristo.

La vigilia della sua passione, egli prese il pane nelle sue mani sante e venerabili, e alzando gli occhi al cielo a te, Dio Padre suo onnipotente, rese grazie con la preghiera di benedizione, spezzò il pane, lo diede ai suoi discepoli e disse:

Prendete, e mangiatene tutti:
questo è il mio Corpo
offerto in sacrificio per voi.

Allo stesso modo, dopo aver cenato, prese nelle sue mani sante e venerabili questo glorioso calice, ti rese grazie con la preghiera di benedizione, lo diede ai suoi discepoli e disse:

Prendete, e bevetene tutti:
questo è il calice del mio Sangue
per la nuova ed eterna alleanza,
versato per voi e per tutti
in remissione dei peccati.
Fate questo in memoria di me.

S Mistero della fede.

T **Annunciamo la tua morte, Signore,
proclamiamo la tua risurrezione,
nell'attesa della tua venuta.**

Oppure:

**Ogni volta che mangiamo di questo pane
e beviamo a questo calice,
annunciamo la tua morte, Signore,
nell'attesa della tua venuta.**

Oppure:

**Tu ci hai redenti con la tua croce
e la tua risurrezione:
salvaci, o Salvatore del mondo.**

Memoriale e offerta

In questo sacrificio, o Padre, noi tuoi ministri e il tuo popolo santo celebriamo il memoriale della beata passione, della risurrezione dai morti e della gloriosa ascensione al cielo del Cristo tuo Figlio e nostro Signore; e offriamo alla tua maestà divina, tra i doni che ci hai dato, la vittima pura, santa e immacolata, pane santo della vita eterna, calice dell'eterna salvezza.

Invocazione a Dio

Volgi sulla nostra offerta il tuo sguardo sereno e benigno, come hai voluto accettare i doni di Abele, il giusto, il sacrificio di Abramo, nostro padre nella fede, e l'oblazione pura e santa di Melchisedek, tuo sommo sacerdote.

Supplica

Ti supplichiamo, Dio onnipotente: fa' che questa offerta, per le mani del tuo angelo santo, sia portata sull'altare del cielo davanti alla tua maestà divina, perché su tutti noi che partecipiamo di questo altare, comunicando al santo mistero del Corpo e Sangue del tuo Figlio, scenda la pienezza di ogni grazia e benedizione del cielo.

Intercessione per i defunti

Ricordati, o Signore, dei tuoi fedeli [N. e N.], che ci hanno preceduto con il segno della fede e dormono il sonno della pace *(pausa)*. **Dona loro, o Signore, e a tutti quelli che riposano in Cristo, la beatitudine, la luce e la pace.**

Intercessione per l'assemblea

Anche a noi, tuoi ministri, peccatori, ma fiduciosi nella tua infinita misericordia, concedi, o Signore, di aver parte alla comunità dei tuoi santi apostoli e martiri: Giovanni, Stefano, Mattia, Barnaba, [Ignazio, Alessandro, Marcellino, Pietro, Felìcita, Perpetua, Agata, Lucia, Agnese, Cecilia, Anastasia] e tutti i tuoi santi: ammettici a godere della loro sorte beata non per i nostri meriti, ma per la ricchezza del tuo perdono.

Benedizione delle offerte

Per Cristo Signore nostro, tu, o Dio, crei e santifichi sempre, fai vivere, benedici e doni al mondo ogni bene.

Lode alla Trinità

Per Cristo, con Cristo e in Cristo, a te, Dio Padre onnipotente, nell'unità dello Spirito Santo, ogni onore e gloria per tutti i secoli dei secoli.

T **Amen.**

La messa prosegue a p. 197, con i riti di comunione.

Preghiera eucaristica II

Invocazione dello Spirito Santo

Veramente santo sei tu, o Padre, fonte di ogni santità. Ti preghiamo: santifica questi doni con la rugiada del tuo Spirito perché diventino per noi il Corpo e ✠ il Sangue del Signore nostro Gesù Cristo.

Racconto dell'istituzione

Egli [*il giovedì santo*: Egli, in questa notte], consegnandosi volontariamente alla passione, prese il pane, rese grazie, lo spezzò, lo diede ai suoi discepoli e disse:

Prendete, e mangiatene tutti:
questo è il mio Corpo
offerto in sacrificio per voi.

Allo stesso modo, dopo aver cenato, prese il calice, di nuovo ti rese grazie, lo diede ai suoi discepoli e disse:

Prendete, e bevetene tutti:
questo è il calice del mio Sangue
per la nuova ed eterna alleanza,
versato per voi e per tutti
in remissione dei peccati.
Fate questo in memoria di me.

S Mistero della fede.

T Annunciamo la tua morte, Signore, proclamiamo la tua risurrezione, nell'attesa della tua venuta.

Oppure:

Ogni volta che mangiamo di questo pane
e beviamo a questo calice,
annunciamo la tua morte, Signore,
nell'attesa della tua venuta.

Oppure:

**Tu ci hai redenti con la tua croce
e la tua risurrezione:
salvaci, o Salvatore del mondo.**

Memoriale e offerta

Celebrando il memoriale della morte e risurrezione del tuo Figlio, ti offriamo, Padre, il pane della vita e il calice della salvezza, e ti rendiamo grazie perché ci hai resi degni di stare alla tua presenza a compiere il servizio sacerdotale.

Invocazione

Ti preghiamo umilmente: per la comunione al Corpo e al Sangue di Cristo, lo Spirito Santo ci riunisca in un solo corpo.

Intercessione per tutti

Ricordati, Padre, della tua Chiesa diffusa su tutta la terra: rendila perfetta nell'amore in unione con il nostro papa N., il nostro vescovo N., i presbiteri e i diaconi.

Dalla veglia all'ottava di Pasqua:

Ricordati, Padre, della tua Chiesa diffusa su tutta la terra e qui convocata nel giorno glorioso [nella notte gloriosa] della risurrezione di Cristo Signore nel suo vero corpo: rendila perfetta nell'amore in unione con il nostro papa N., il nostro vescovo N., i presbiteri e i diaconi.

Ricordati anche dei nostri fratelli [N. e N.], che oggi mediante il Battesimo [e la Confermazione] sono entrati a far parte della tua famiglia: fa' che seguano Cristo tuo Figlio con animo generoso e ardente.

Intercessione per i defunti

Ricordati anche dei nostri fratelli e sorelle che si sono addormentati nella speranza della risurrezione e, nella tua miericordia, di tutti i defunti: ammettili alla luce del tuo volto.

Per l'assemblea

Di noi tutti abbi misericordia, donaci di aver parte alla vita eterna, insieme con la beata Maria, Vergine e Madre di Dio, san Giuseppe, suo sposo, gli apostoli e tutti i santi, che in ogni tempo ti furono graditi, e in Gesù Cristo tuo Figlio canteremo la tua lode e la tua gloria.

Lode alla Trinità

Per Cristo, con Cristo e in Cristo, a te, Dio Padre onnipotente, nell'unità dello Spirito Santo, ogni onore e gloria per tutti i secoli dei secoli.

T **Amen.**

La messa prosegue a p. 197, con i riti di comunione..

Preghiera eucaristica III

Lode a Dio Padre

Veramente santo sei tu, o Padre, ed è giusto che ogni creatura ti lodi. Per mezzo del tuo Figlio, il Signore nostro Gesù Cristo, nella potenza dello Spirito Santo fai vivere e santifichi l'universo, e continui a radunare intorno a te un popolo che, dall'oriente all'occidente, offra al tuo nome il sacrificio perfetto.

Invocazione dello Spirito Santo

Ti preghiamo umilmente: santifica e consacra con il tuo Spirito i doni che ti abbiamo presenta-

to perché diventino il Corpo e ✠ il Sangue del tuo
Figlio, il Signore nostro Gesù Cristo, che ci ha
comandato di celebrare questi misteri.

Racconto dell'istituzione

Egli, nella notte in cui veniva tradito, prese il pane, ti rese grazie con la preghiera di benedizione,
lo spezzò, lo diede ai suoi discepoli, e disse:

Il giovedì santo alla messa nella cena del Signore:

Egli, infatti, in questa notte in cui veniva tradito,
avendo amato i suoi che erano nel mondo, li amò
sino alla fine, e mentre cenava con loro, prese il
pane, ti rese grazie con la preghiera di benedizione, lo spezzò, lo diede ai suoi discepoli, e disse:

Prendete, e mangiatene tutti:
questo è il mio Corpo
offerto in sacrificio per voi.

Allo stesso modo, dopo aver cenato, prese il calice, ti rese grazie con la preghiera di benedizione,
lo diede ai suoi discepoli e disse:

Prendete, e bevetene tutti:
questo è il calice del mio Sangue
per la nuova ed eterna alleanza,
versato per voi e per tutti
in remissione dei peccati.
Fate questo in memoria di me.

S Mistero della fede.

T Annunciamo la tua morte, Signore,
  proclamiamo la tua risurrezione,
  nell'attesa della tua venuta.

Oppure:

**Ogni volta che mangiamo di questo pane
e beviamo a questo calice,
annunciamo la tua morte, Signore,
nell'attesa della tua venuta.**

Oppure:

**Tu ci hai redenti con la tua croce
e la tua risurrezione:
salvaci, o Salvatore del mondo.**

Memoriale e offerta

Celebrando il memoriale della passione redentrice del tuo Figlio, della sua mirabile risurrezione e ascensione al cielo, nell'attesa della sua venuta nella gloria, ti offriamo, o Padre, in rendimento di grazie, questo sacrificio vivo e santo.

Invocazione

Guarda con amore e riconosci nell'offerta della tua Chiesa la vittima immolata per la nostra redenzione, e a noi, che ci nutriamo del Corpo e del Sangue del tuo Figlio, dona la pienezza dello Spirito Santo, perché diventiamo in Cristo un solo corpo e un solo spirito.

Lo Spirito Santo faccia di noi un'offerta perenne a te gradita, perché possiamo ottenere il regno promesso con i tuoi eletti: con la beata Maria, Vergine e Madre di Dio, san Giuseppe, suo sposo, i tuoi santi apostoli, i gloriosi martiri, [san N.] e tutti i santi, nostri intercessori presso di te.

Intercessione

Ti preghiamo, o Padre: questo sacrificio della nostra riconciliazione doni pace e salvezza al mon-

do intero. Conferma nella fede e nell'amore la tua
Chiesa pellegrina sulla terra: il tuo servo e nostro
papa N., il nostro vescovo N., l'ordine episcopale, i presbiteri, i diaconi e il popolo che tu hai
redento.

Dalla veglia all'ottava di Pasqua:

Sostieni nell'impegno cristiano i tuoi figli [N. e
N.], che oggi mediante il lavacro della rigenerazione [e il dono dello Spirito Santo] hai chiamato
a far parte del tuo popolo: con il tuo aiuto possano camminare sempre in novità di vita.

Ascolta la preghiera di questa famiglia che hai
convocato alla tua presenza. Ricongiungi a te, Padre misericordioso, tutti i tuoi figli ovunque dispersi.

Dalla veglia all'ottava di Pasqua:

Ascolta la preghiera di questa famiglia che hai
convocato alla tua presenza nel giorno glorioso
[nella notte gloriosa] della risurrezione di Cristo
Signore nel suo vero corpo. Ricongiungi a te, Padre misericordioso, tutti i tuoi figli ovunque dispersi.

Preghiera per i defunti

Accogli nel tuo regno i nostri fratelli e sorelle defunti, e tutti coloro che, in pace con te, hanno
lasciato questo mondo; concedi anche a noi di
ritrovarci insieme a godere per sempre della tua
gloria, in Cristo, nostro Signore, per mezzo del
quale tu, o Dio, doni al mondo ogni bene.

Lode alla Trinità

Per Cristo, con Cristo e in Cristo, a te, Dio Padre onnipotente, nell'unità dello Spirito Santo, ogni onore e gloria per tutti i secoli dei secoli.

T **Amen.**

RITI DI COMUNIONE

Dio Padre, che ha accolto l'offerta di Cristo e la nostra, ci offre ora il pane disceso dal cielo, che è il corpo e il sangue del suo Figlio. Noi ci prepariamo con la preghiera cristiana per eccellenza, il Padre nostro.

Preghiera del Signore

S Obbedienti alla parola del Salvatore e formati al suo divino insegnamento, osiamo dire:

T **Padre nostro che sei nei cieli, sia santificato il tuo nome, venga il tuo regno, sia fatta la tua volontà, come in cielo così in terra.**
Dacci oggi il nostro pane quotidiano, e rimetti a noi i nostri debiti come anche noi li rimettiamo ai nostri debitori, e non abbandonarci alla tentazione, ma liberaci dal male.

S Liberaci, o Signore, da tutti i mali, concedi la pace ai nostri giorni, e con l'aiuto della tua misericordia vivremo sempre liberi dal peccato e sicuri da ogni turbamento, nell'attesa che si compia la beata speranza e venga il nostro salvatore Gesù Cristo.

T **Tuo è il regno, tua la potenza e la gloria nei secoli.**

Dono della pace

S Signore Gesù Cristo, che hai detto ai tuoi apostoli: «Vi lascio la pace, vi do la mia pace», non guardare ai nostri peccati, ma alla fede della tua Chiesa, e donale unità e pace secondo la tua volontà. Tu che vivi e regni nei secoli dei secoli.

T Amen.

S La pace del Signore sia sempre con voi.
T E con il tuo spirito.

S Scambiatevi il dono della pace.

Tutti si scambiano un segno di pace.

Frazione del pane e comunione

Mentre il celebrante spezza il pane consacrato l'assemblea dice:

T Agnello di Dio, che togli i peccati del mondo, abbi pietà di noi.

Agnello di Dio, che togli i peccati del mondo, abbi pietà di noi.

Agnello di Dio, che togli i peccati del mondo, dona a noi la pace.

Il sacerdote genuflette, prende il pane eucaristico, lo presenta ai fedeli e dice:

S Ecco l'Agnello di Dio, ecco colui che toglie i peccati del mondo. Beati gli invitati alla cena dell'Agnello.

T O Signore, non sono degno di partecipare alla tua mensa: ma di' soltanto una parola e io sarò salvato.

I fedeli si accostano processionalmente all'altare. Nel dare la comunione ai fedeli, il sacerdote dice a ciascuno:

S Il Corpo di Cristo.
R. Amen.

Silenzio

Dopo la comunione il sacerdote e i fedeli si trattengono per alcuni istanti in silenzio. È possibile anche intonare un canto di lode a Dio.

Orazione dopo la comunione

Il sacerdote recita, a nome di tutti, una preghiera di ringraziamento, con cui chiede a Dio la partecipazione ai frutti dell'eucaristia. L'assemblea risponde:

T Amen.

RITI DI CONCLUSIONE

Benedizione

S Il Signore sia con voi.
T E con il tuo spirito.
S Vi benedica Dio onnipotente, Padre e Figlio ✠ e Spirito Santo.
T Amen.

Nella passione del Signore:

S Dio, Padre di misericordia, che nella passione del suo Figlio ci ha dato il modello dell'amore, vi faccia gustare l'ineffabile dono della sua benedizione nell'umile servizio a Dio e ai fratelli.
T Amen.

S Possiate ottenere da Cristo il dono della vita eterna per la vostra fede nella sua morte salvifica.
T Amen.

S Voi, che seguite l'esempio di umiltà lasciato da Cristo, possiate aver parte alla sua risurrezione.

T **Amen.**

S E la benedizione di Dio onnipotente, Padre e Figlio ✠ e Spirito Santo, discenda su di voi e con voi rimanga sempre.

T **Amen.**

Nella veglia e nel giorno di Pasqua:

S Dio, che nella risurrezione del suo Figlio unigenito ci ha donato la grazia della redenzione e ha fatto di noi i suoi figli, vi dia la gioia della sua benedizione.

T **Amen.**

S Il Redentore, che ci ha donato la libertà senza fine, vi renda partecipi dell'eredità eterna.

T **Amen.**

S E voi, che per la fede in Cristo siete risorti nel battesimo, possiate crescere in santità di vita per incontrarlo un giorno nella patria del cielo.

T **Amen.**

S E la benedizione di Dio onnipotente, Padre e Figlio ✠ e Spirito Santo, discenda su di voi e con voi rimanga sempre.

T **Amen.**

Congedo

S La messa è finita: andate in pace.

T **Rendiamo grazie a Dio.**

LITURGIA DELLE ORE

DEL TRIDUO PASQUALE

GIOVEDÌ SANTO

Invitatorio

℣. Signore, apri le mie labbra
℟. **e la mia bocca proclami la tua lode.**

Si enuncia e si ripete l'antifona.

Ant. Venite, adoriamo Cristo Signore:
per noi ha sofferto tentazione e morte.

SALMO 94   Invito a lodare Dio

Esortatevi a vicenda ogni giorno, finché dura «quest'oggi»
(Eb 3,13).

Venite, applaudiamo al Signore, *
acclamiamo alla roccia della nostra salvezza.
Accostiamoci a lui per rendergli grazie, *
a lui acclamiamo con canti di gioia.   Ant.

Poiché grande Dio è il Signore, *
grande re sopra tutti gli dèi.
Nella sua mano sono gli abissi della terra, *
sono sue le vette dei monti.   Ant.

Suo è il mare, egli l'ha fatto, *
le sue mani hanno plasmato la terra.   Ant.

Venite, prostrati adoriamo, *
in ginocchio davanti al Signore che ci ha creati.
Egli è il nostro Dio,
e noi il popolo del suo pascolo, *
il gregge che egli conduce.   Ant.

Ascoltate oggi la sua voce: †
«Non indurite il cuore, *
come a Merìba,
come nel giorno di Massa nel deserto,   Ant.

dove mi tentarono i vostri padri: *
mi misero alla prova,
pur avendo visto le mie opere.   Ant.

Per quarant'anni mi disgustai
di quella generazione †
e dissi: Sono un popolo dal cuore traviato, *
non conoscono le mie vie;   Ant.

perciò ho giurato nel mio sdegno: *
Non entreranno nel luogo del mio riposo».   Ant.

Gloria al Padre e al Figlio, *
e allo Spirito Santo.
Come era nel principio, e ora e sempre *
nei secoli dei secoli. Amen.   Ant.

Ufficio delle letture

INNO

Creati per la gloria del tuo nome,
redenti dal tuo sangue sulla croce,
segnati dal sigillo del tuo Spirito,
noi t'invochiamo: salvaci, o Signore!

Tu spezza le catene della colpa,
proteggi i miti, libera gli oppressi
e conduci nel cielo ai quieti pascoli
il popolo che crede nel tuo amore.

Sia lode e onore a te, pastore buono,
luce radiosa dell'eterna luce,
che vivi con il Padre e il Santo Spirito
nei secoli dei secoli glorioso. Amen.

1 ant. Sono sfinito dal gridare
         nell'attesa del mio Dio.

SALMO 68,2-22.30-37
Mi divora lo zelo per la tua casa
Gli diedero da bere vino mescolato con fiele (Mt 27,34).

I (2-13)

Salvami, o Dio: *
l'acqua mi giunge alla gola.

Affondo nel fango e non ho sostegno; †
sono caduto in acque profonde *
e l'onda mi travolge.

Sono sfinito dal gridare, †
riarse sono le mie fauci; *
i miei occhi si consumano nell'attesa del mio Dio.

Più numerosi dei capelli del mio capo *
sono coloro che mi odiano senza ragione.
Sono potenti i nemici che mi calunniano: *
quanto non ho rubato, lo dovrei restituire?

Dio, tu conosci la mia stoltezza *
e le mie colpe non ti sono nascoste.

Chi spera in te, a causa mia non sia confuso, *
Signore, Dio degli eserciti;
per me non si vergogni *
chi ti cerca, Dio d'Israele.

Per te io sopporto l'insulto *
e la vergogna mi copre la faccia;
sono un estraneo per i miei fratelli, *
un forestiero per i figli di mia madre.

Poiché mi divora lo zelo per la tua casa, *
ricadono su di me gli oltraggi di chi ti insulta.
Mi sono estenuato nel digiuno *
ed è stata per me un'infamia.

Ho indossato come vestito un sacco *
e sono diventato il loro scherno.
Sparlavano di me quanti sedevano alla porta, *
gli ubriachi mi dileggiavano.   *Gloria.*

1 ant. Sono sfinito dal gridare
         nell'attesa del mio Dio.

2 ant. Hanno messo nel mio cibo veleno,
         nella mia sete mi hanno fatto bere l'aceto.

II (14-22)

Ma io innalzo a te la mia preghiera, *
Signore, nel tempo della benevolenza;
per la grandezza della tua bontà, rispondimi, *
per la fedeltà della tua salvezza, o Dio.

Salvami dal fango, che io non affondi, †
liberami dai miei nemici *
e dalle acque profonde.

Non mi sommergano i flutti delle acque †
e il vortice non mi travolga, *
l'abisso non chiuda su di me la sua bocca.

Rispondimi, Signore, benefica è la tua grazia; *
volgiti a me nella tua grande tenerezza.

Non nascondere il volto al tuo servo, *
sono in pericolo: presto, rispondimi.
Avvicinati a me, riscattami, *
salvami dai miei nemici.

Tu conosci la mia infamia, †
la mia vergogna e il mio disonore; *
davanti a te sono tutti i miei nemici.

L'insulto ha spezzato il mio cuore e vengo meno. †
Ho atteso compassione, ma invano, *
consolatori, ma non ne ho trovati.

Hanno messo nel mio cibo veleno *
e quando avevo sete mi hanno dato aceto. *Gloria.*

2 ant. Hanno messo nel mio cibo veleno,
nella mia sete mi hanno fatto bere l'aceto.

3 ant. Cercate il Signore e avrete la vita.

III (30-37)

Io sono infelice e sofferente; *
la tua salvezza, Dio, mi ponga al sicuro.

Loderò il nome di Dio con il canto, *
lo esalterò con azioni di grazie,
che il Signore gradirà più dei tori, *
più dei giovenchi con corna e unghie.

Vedano gli umili e si rallegrino; *
si ravvivi il cuore di chi cerca Dio,
poiché il Signore ascolta i poveri *
e non disprezza i suoi che sono prigionieri.

A lui acclamino i cieli e la terra, *
i mari e quanto in essi si muove.

Perché Dio salverà Sion, †
ricostruirà le città di Giuda: *
vi abiteranno e ne avranno il possesso.

La stirpe dei suoi servi ne sarà erede, *
e chi ama il suo nome vi porrà dimora. *Gloria.*

3 ant. Cercate il Signore e avrete la vita.

℣. Quando sarò innalzato da terra,
℟. attirerò a me ogni creatura.

PRIMA LETTURA

Gesù Cristo sommo sacerdote.

Dalla lettera agli Ebrei   (4,14-5,10)

Fratelli, poiché abbiamo un sommo sacerdote grande, che è passato attraverso i cieli, Gesù il Figlio di Dio, manteniamo ferma la professione della fede. Infatti non abbiamo un sommo sacerdote che non sappia prendere parte alle nostre debolezze: egli stesso è stato messo alla prova in ogni cosa come noi, escluso il peccato. Accostiamoci dunque con piena fiducia al trono della grazia per ricevere misericordia e trovare grazia, così da essere aiutati al momento opportuno.

Ogni sommo sacerdote, infatti, è scelto fra gli uomini e per gli uomini viene costituito tale nelle cose che riguardano Dio, per offrire doni e sacrifici per i peccati. Egli è in grado di sentire giusta compassione per quelli che sono nell'ignoranza e nell'errore, essendo anche lui rivestito di debolezza. A causa di questa egli deve offrire sacrifici per i peccati anche per se stesso, come fa per il popolo.

Nessuno attribuisce a se tesso questo onore, se non chi è chiamato da Dio, come Aronne. Nello stesso modo Cristo non attribuì a se stesso la gloria di sommo sacerdote, ma colui che gli disse: «Tu sei mio figlio, oggi ti ho generato», gliela conferì, come è detto in un altro passo: «Tu sei sacerdote per sempre, secondo l'ordine di Melchìsedek».

Nei giorni della sua vita terrena egli offrì preghiere e suppliche, con forti grida e lacrime, a Dio che poteva salvarlo da morte e, per il suo pieno abbandono a lui, venne esaudito. Pur essendo Figlio, imparò l'obbedienza da ciò che patì e, reso perfetto, divenne causa di salvezza eterna per tutti coloro che gli obbediscono, essendo stato proclamato da Dio sommo sacerdote secondo l'ordine di Melchìsedek.

RESPONSORIO (cf. Eb 5,8.9.7)

℟. Cristo, pur essendo Figlio, imparò l'obbedienza dalle cose che patì, * e divenne causa di salvezza eterna per tutti coloro che gli obbediscono.
℣. Nei giorni della sua vita terrena offrì preghiere con forti grida e fu esaudito per la sua pietà,
℟. e divenne causa di salvezza eterna per tutti coloro che gli obbediscono.

SECONDA LETTURA

L'agnello immolato ci strappò dalla morte.

Dall'«Omelia sulla Pasqua» di Melitone di Sardi, vescovo (65-67; SC 123,95-101)

Molte cose sono state predette dai profeti riguardanti il mistero della Pasqua, che è Cristo, «al quale sia gloria nei secoli dei secoli. Amen». Egli scese dai cieli sulla terra per l'umanità sofferente; si rivestì della nostra umanità nel grembo della Vergine e nacque come uomo. Prese su di sé le sofferenze dell'uomo sofferente attraverso il corpo soggetto alla sofferenza, e distrusse le passioni della carne. Con lo Spirito immortale distrusse la morte omicida.
Egli infatti fu condotto e ucciso dai suoi carnefici come un agnello, ci liberò dal modo di vivere del mondo come dall'Egitto, e ci salvò dalla schiavitù

del demonio come dalla mano del faraone. Contrassegnò le nostre anime con il proprio Spirito e le membra del nostro corpo con il suo sangue.

Egli è colui che coprì di confusione la morte e gettò nel pianto il diavolo, come Mosè il faraone.

Egli è colui che percosse l'iniquità e l'ingiustizia, come Mosè condannò alla sterilità l'Egitto.

Egli è colui che ci trasse dalla schiavitù alla libertà, dalle tenebre alla luce, dalla morte alla vita, dalla tirannia al regno eterno. Ha fatto di noi un sacerdozio nuovo e un popolo eletto per sempre.

Egli è la Pasqua della nostra salvezza. Egli è colui che prese su di sé le sofferenze di tutti. Egli è colui che fu ucciso in Abele, e in Isacco fu legato ai piedi. Andò pellegrinando in Giacobbe, e in Giuseppe fu venduto. Fu esposto sulle acque in Mosè, e nell'agnello fu sgozzato. Fu perseguitato in Davide e nei profeti fu disonorato.

Egli è colui che si incarnò nel seno della Vergine, fu appeso alla croce, fu sepolto nella terra e, risorgendo dai morti, salì alle altezze dei cieli. Egli è l'agnello che non apre bocca, egli è l'agnello ucciso, egli è nato da Maria, agnella senza macchia. Egli fu preso dal gregge, condotto all'uccisione, immolato verso sera, sepolto nella notte. Sulla croce non gli fu spezzato osso e sotto terra non fu soggetto alla decomposizione.

Egli risuscitò dai morti e fece risorgere l'umanità dal profondo del sepolcro.

RESPONSORIO   (cf. Rm 3,23-25; Gv 1,29)

℟. Tutti hanno peccato e sono privi della gloria di Dio; ma sono giustificati gratuitamente per la sua grazia, in virtù della redenzione di Cristo. * Dio lo ha stabilito come strumento di espiazione per mezzo della fede, nel suo sangue.

℣. Ecco l'agnello di Dio, ecco colui che toglie il peccato del mondo!

℟. Dio lo ha stabilito come strumento di espiazione per mezzo della fede, nel suo sangue.

ORAZIONE

O Dio, vita e salvezza di chi ti ama, rendici ricchi dei tuoi doni: compi in noi ciò che speriamo per la morte del Figlio tuo, e fa' che partecipiamo alla gloria della sua risurrezione. Egli è Dio, e vive e regna con te, nell'unità dello Spirito Santo, per tutti i secoli dei secoli.

℟. **Amen.**

℣. Benediciamo il Signore.
℟. **Rendiamo grazie a Dio.**

Lodi mattutine

℣. O Dio, vieni a salvarmi.
℟. **Signore, vieni presto in mio aiuto.**
Gloria al Padre...

INNO

O Gesù redentore,
immagine del Padre,
luce d'eterna luce,
accogli il nostro canto.

Per radunare i popoli
nel patto dell'amore,
distendi le tue braccia
sul legno della croce.

Dal tuo fianco squarciato
effondi sull'altare
i misteri pasquali
della nostra salvezza.

A te sia lode, o Cristo,
speranza delle genti,
al Padre e al Santo Spirito
nei secoli dei secoli. Amen.

1 ant. Guarda, Signore, vedi la mia angoscia;
        rispondimi, fa' presto.

SALMO 79   Visita, o Signore, la tua vigna

Vieni, Signore Gesù (Ap 22,20).

Tu, pastore d'Israele, ascolta, *
tu che guidi Giuseppe come un gregge.
Assiso sui cherubini rifulgi *
davanti a Èfraim, Beniamino e Manasse.

Risveglia la tua potenza *
e vieni in nostro soccorso.

Rialzaci, Signore, nostro Dio *
fa' splendere il tuo volto e noi saremo salvi.

Signore, Dio degli eserciti, †
fino a quando fremerai di sdegno *
contro le preghiere del tuo popolo?

Tu ci nutri con pane di lacrime, *
ci fai bere lacrime in abbondanza.
Ci hai fatto motivo di contesa per i vicini, *
e i nostri nemici ridono di noi.

Rialzaci, Dio degli eserciti, *
fa' risplendere il tuo volto e noi saremo salvi.

Hai divelto una vite dall'Egitto, *
per trapiantarla hai espulso i popoli.
Le hai preparato il terreno, *
hai affondato le sue radici e ha riempito la terra.

La sua ombra copriva le montagne *
e i suoi rami i più alti cedri.
Ha esteso i suoi tralci fino al mare *
e arrivavano al fiume i suoi germogli.

Perché hai abbattuto la sua cinta *
e ogni viandante ne fa vendemmia?
La devasta il cinghiale del bosco *
e se ne pasce l'animale selvatico.

Dio degli eserciti, volgiti, *
guarda dal cielo e vedi e visita questa vigna,
proteggi il ceppo che la tua destra ha piantato, *
il germoglio che ti sei coltivato.

Quelli che l'arsero col fuoco e la recisero, *
periranno alla minaccia del tuo volto.

Sia la tua mano sull'uomo della tua destra, *
sul figlio dell'uomo che per te hai reso forte.

Da te più non ci allontaneremo, *
ci farai vivere e invocheremo il tuo nome.

Rialzaci, Signore, Dio degli eserciti, *
fa' splendere il tuo volto e noi saremo salvi.

Gloria.

1 ant. Guarda, Signore, vedi la mia angoscia;
       rispondimi, fa' presto.

2 ant. Ecco, Dio è la mia salvezza:
       ho fiducia, non ho paura.

CANTICO   (Is 12,1-6)
Esultanza del popolo redento

Chi ha sete, venga a me, e beva chi crede in me (Gv 7,37-38).

Ti ringrazio, Signore; †
tu eri con me adirato, *
ma la tua collera si è calmata e tu mi hai consolato.

Ecco, Dio è la mia salvezza; *
io confiderò, non avrò mai timore,
perché mia forza e mio canto è il Signore; *
egli è stato la mia salvezza.

Attingerete acqua con gioia *
alle sorgenti della salvezza.

In quel giorno direte: *
«Lodate il Signore, invocate il suo nome;
manifestate tra i popoli le sue meraviglie, *
proclamate che il suo nome è sublime.

Cantate inni al Signore,
perché ha fatto opere grandi, *
ciò sia noto in tutta la terra.

Gridate giulivi ed esultate, abitanti di Sion, *
perché grande in mezzo a voi
è il Santo di Israele». *Gloria.*

2 ant. Ecco, Dio è la mia salvezza:
        ho fiducia, non ho paura.

3 ant. Ci nutri, Signore, con fiore di frumento,
        ci sfami con miele dalla roccia.

SALMO 80   Solenne rinnovazione dell'alleanza

*Badate, fratelli, che non si trovi in nessuno di voi un cuore
perverso e senza fede* (Eb 3,12).

Esultate in Dio, nostra forza, *
acclamate al Dio di Giacobbe.
Intonate il canto e suonate il timpano, *
la cetra melodiosa con l'arpa.

Suonate la tromba nel plenilunio, *
nostro giorno di festa.
Questa è una legge per Israele, *
un decreto del Dio di Giacobbe.

Lo ha dato come testimonianza a Giuseppe, *
quando usciva dal paese d'Egitto.

Un linguaggio mai inteso io sento: †
«Ho liberato dal peso la sua spalla, *
le sue mani hanno deposto la cesta.

Hai gridato a me nell'angoscia e io ti ho liberato, †
avvolto nella nube ti ho dato risposta, *
ti ho messo alla prova alle acque di Merìba.

Ascolta, popolo mio, ti voglio ammonire; *
Israele, se tu mi ascoltassi!
Non ci sia in mezzo a te un altro dio *
e non prostrarti a un dio straniero.

Sono io il Signore tuo Dio, †
che ti ho fatto uscire dal paese d'Egitto; *
apri la tua bocca, la voglio riempire.

Ma il mio popolo non ha ascoltato la mia voce, *
Israele non mi ha obbedito.
L'ho abbandonato alla durezza del suo cuore, *
che seguisse il proprio consiglio.

Se il mio popolo mi ascoltasse, *
se Israele camminasse per le mie vie!
Subito piegherei i suoi nemici *
e contro i suoi avversari porterei la mia mano.

I nemici del Signore gli sarebbero sottomessi *
e la loro sorte sarebbe segnata per sempre;
li nutrirei con fiore di frumento, *
li sazierei con miele di roccia». *Gloria.*

3 ant. Ci nutri, Signore, con fiore di frumento,
　　　　ci sfami con miele dalla roccia.

LETTURA BREVE   (Eb 2,9b-10)

Vediamo [Gesù] coronato di gloria e di onore a
causa della morte che ha sofferto, perché per la
grazia di Dio egli provasse la morte a vantaggio di
tutti. Conveniva infatti che Dio – per il quale e
mediante il quale esistono tutte le cose, lui che
conduce molti figli alla gloria – rendesse perfetto
per mezzo delle sofferenze il capo che guida alla
salvezza.

RESPONSORIO BREVE

R. Di gloria e di onore * hai coronato il tuo Cristo.
Di gloria e di onore hai coronato il tuo Cristo.
V. Tutto hai posto ai suoi piedi:
hai coronato il tuo Cristo.
　　Gloria al Padre e al Figlio e allo Spirito Santo.
Di gloria e di onore hai coronato il tuo Cristo.

Ant. al Ben. Quanto ho desiderato mangiare
questa Pasqua con voi, prima di patire!

CANTICO DI ZACCARIA   (Lc 1,68-79)
Il Messia e il suo precursore

Benedetto il Signore Dio d'Israele, *
perché ha visitato e redento il suo popolo,

e ha suscitato per noi una salvezza potente *
nella casa di Davide, suo servo,

come aveva promesso *
per bocca dei suoi santi profeti d'un tempo:

salvezza dai nostri nemici, *
e dalle mani di quanti ci odiano.

Così egli ha concesso misericordia ai nostri padri *
e si è ricordato della sua santa alleanza,

del giuramento fatto ad Abramo, nostro padre, *
di concederci, liberati dalle mani dei nemici,

di servirlo senza timore, in santità e giustizia *
al suo cospetto, per tutti i nostri giorni.

E tu, bambino,
sarai chiamato profeta dell'Altissimo *
perché andrai innanzi al Signore,
a preparargli le strade,

per dare al suo popolo la conoscenza della salvezza *
nella remissione dei suoi peccati,

grazie alla bontà misericordiosa del nostro Dio, *
per cui verrà a visitarci dall'alto un sole che sorge,

per rischiarare quelli che stanno nelle tenebre *
e nell'ombra della morte

e dirigere i nostri passi *
sulla via della pace. *Gloria.*

Ant. al Ben. Quanto ho desiderato mangiare
questa Pasqua con voi, prima di patire!

INVOCAZIONI

Cristo è il sacerdote eterno, consacrato dal Padre con il crisma dello Spirito per comunicare agli uomini le ricchezze della sua casa. Con animo lieto acclamiamo:
Noi ti ringraziamo, Signore.

Mediante il battesimo ci hai uniti a te nella morte, sepoltura e risurrezione:
— *noi ti ringraziamo, Signore.*

Con l'unzione spirituale ci hai resi partecipi della tua dignità regale, sacerdotale e profetica:
— *noi ti ringraziamo, Signore.*

Fai scendere su di noi l'olio della letizia, della pace e della salvezza:
— *noi ti ringraziamo, Signore.*

Ti incontri con noi nei sacramenti per offrirci l'abbondanza dello Spirito:
— *noi ti ringraziamo, Signore.*

Padre nostro.

ORAZIONE

O Dio, vita e salvezza di chi ti ama, rendici ricchi dei tuoi doni: compi in noi ciò che speriamo per la morte del Figlio tuo, e fa' che partecipiamo alla gloria della sua risurrezione. Egli è Dio, e vive e regna con te, nell'unità dello Spirito Santo, per tutti i secoli dei secoli.

℟. **Amen.**

℣. Il Signore ci benedica, ci preservi da ogni male e ci conduca alla vita eterna.

℟. **Amen.**

Vespri

Chi partecipa alla messa vespertina della cena del Signore, non ha l'obbligo di celebrare i vespri.

℣. O Dio, vieni a salvarmi.
℟. **Signore, vieni presto in mio aiuto.**
Gloria al Padre...

Inno

O pane vivo, memoriale
della passione del Signore,
fa' ch'io gusti quanto è soave
di te vivere, in te sperare.

Nell'onda pura del tuo sangue
immergimi, o mio redentore:
una goccia sola è un battesimo
che rinnova il mondo intero.

Fa' ch'io contempli il tuo volto
nella patria beata del cielo
con il Padre e lo Spirito Santo
nei secoli dei secoli. Amen.

1 ant. Ha fatto di noi un regno per il Padre
lui, il primogenito dei morti,
il Re dei re della terra.

Salmo 71,1-11 (I)   Il potere regale del Messia

[I Magi] aprirono i loro scrigni e gli offrirono in dono oro, incenso e mirra (Mt 2,11).

Dio, da' al re il tuo giudizio, *
al figlio del re la tua giustizia;
regga con giustizia il tuo popolo *
e i tuoi poveri con rettitudine.

Le montagne portino pace al popolo *
e le colline giustizia.

Ai miseri del suo popolo renderà giustizia, †
salverà i figli dei poveri *
e abbatterà l'oppressore.

Il suo regno durerà quanto il sole, *
quanto la luna, per tutti i secoli.
Scenderà come pioggia sull'erba, *
come acqua che irrora la terra.

Nei suoi giorni fiorirà la giustizia †
e abbonderà la pace, *
finché non si spenga la luna.

E dominerà da mare a mare, *
dal fiume sino ai confini della terra.
A lui si piegheranno gli abitanti del deserto, *
lambiranno la polvere i suoi nemici.

I re di Tarsis e delle isole porteranno offerte, *
i re degli Arabi e di Saba offriranno tributi.
A lui tutti i re si prostreranno, *
lo serviranno tutte le nazioni.   *Gloria.*

1 ant. Ha fatto di noi un regno per il Padre
        lui, il primogenito dei morti,
        il Re dei re della terra.

2 ant. Il Signore libera il povero che grida
        e il misero che non trova aiuto.

Salmo 71,12-19 (II)
Regno di pace e di benedizione

Andate in tutto il mondo e proclamate il vangelo (Mc 16,15).

Egli libererà il povero che invoca *
e il misero che non trova aiuto,
avrà pietà del debole e del povero *
e salverà la vita dei suoi miseri.

Li riscatterà dalla violenza e dal sopruso, *
sarà prezioso ai suoi occhi il loro sangue.

Vivrà e gli sarà dato oro di Arabia; †
si pregherà per lui ogni giorno, *
sarà benedetto per sempre.

Abbonderà il frumento nel paese, *
ondeggerà sulle cime dei monti;
il suo frutto fiorirà come il Libano, *
la sua messe come l'erba della terra.

Il suo nome duri in eterno, *
davanti al sole persista il suo nome.
In lui saranno benedette tutte le stirpi della terra *
e tutti i popoli lo diranno beato.

Benedetto il Signore, Dio di Israele, *
egli solo compie prodigi.

E benedetto il suo nome glorioso per sempre, †
della sua gloria sia piena tutta la terra. *
Amen, amen.   *Gloria.*

2 ant. Il Signore libera il povero che grida
        e il misero che non trova aiuto.

3 ant. I santi hanno vinto con il sangue dell'Agnello
        e con la parola del loro martirio.

<small>CANTICO</small>   (Cf. Ap 11,17-18; 12,10b-12a)
Il giudizio di Dio

Noi ti rendiamo grazie,
Signore Dio onnipotente, *
che sei e che eri,

perché hai messo mano
alla tua grande potenza, *
e hai instaurato il tuo regno.

Le genti fremettero, †
ma è giunta l'ora della tua ira, *
il tempo di giudicare i morti,

di dare la ricompensa ai tuoi servi, †
ai profeti e ai santi *
e a quanti temono il tuo nome, piccoli e grandi.

Ora si è compiuta la salvezza,
la forza e il regno del nostro Dio *
e la potenza del suo Cristo,

poiché è stato precipitato l'Accusatore; †
colui che accusava i nostri fratelli, *
davanti al nostro Dio giorno e notte.

Essi lo hanno vinto per il sangue dell'Agnello †
e la testimonianza del loro martirio, *
perché hanno disprezzato la vita fino a morire.

Esultate, dunque, o cieli, *
rallegratevi e gioite,
voi che abitate in essi.   *Gloria.*

3 ant. I santi hanno vinto con il sangue dell'Agnello
        e con la parola del loro martirio.

LETTURA BREVE   Eb 13,12-15

Gesù, per santificare il popolo con il proprio sangue, subì la passione fuori della porta della città.
Usciamo dunque verso di lui fuori dell'accampamento, portando il suo disonore: non abbiamo
quaggiù una città stabile, ma andiamo in cerca
di quella futura. Per mezzo di lui dunque offriamo a Dio continuamente un sacrificio di lode, cioè il frutto di labbra che confessano il suo
nome.

Invece del responsorio breve si dice:

Ant. Cristo per noi si è fatto obbediente
       sino alla morte.

Ant. al Magn. Nell'ultima cena Gesù prese il pane,
lo benedisse, lo spezzò e lo diede ai suoi discepoli.

CANTICO DELLA BEATA VERGINE   (Lc 1,46-55)
Esultanza dell'anima nel Signore

L'anima mia magnifica il Signore *
e il mio spirito esulta in Dio, mio salvatore,

perché ha guardato l'umiltà della sua serva. *
D'ora in poi tutte le generazioni
mi chiameranno beata.

Grandi cose ha fatto in me l'Onnipotente *
e Santo è il suo nome:

di generazione in generazione la sua misericordia *
si stende su quelli che lo temono.

Ha spiegato la potenza del suo braccio, *
ha disperso i superbi nei pensieri del loro cuore;

ha rovesciato i potenti dai troni, *
ha innalzato gli umili;

ha ricolmato di beni gli affamati, *
ha rimandato i ricchi a mani vuote.

Ha soccorso Israele, suo servo, *
ricordandosi della sua misericordia,

come aveva promesso ai nostri padri, *
ad Abramo e alla sua discendenza, per sempre.

Gloria.

Ant. al Magn. Nell'ultima cena Gesù prese il pane,
lo benedisse, lo spezzò e lo diede ai suoi discepoli.

INTERCESSIONI

Nella notte in cui fu tradito, il nostro Salvatore
celebrò l'ultima cena e affidò alla Chiesa il
memoriale della sua morte e risurrezione,
perché lo celebrasse perennemente fino alla
sua venuta. Nella luce di questo grande mistero, rivolgiamo al Cristo la nostra preghiera:
**Santifica il popolo, che hai redento con il
tuo sangue, Signore.**

Hai partecipato il tuo sacerdozio alla Chiesa,
— si senta sempre unita a te nel sacrificio della
lode.
Ti offri al popolo redento, pane di vita disceso
dal cielo,
— suscita nei fedeli una santa fame di te.
Ci porgi il calice dell'alleanza nel tuo sangue,
— bevano tutti con gioia a questa fonte di salvezza.

Ci hai lasciato il comandamento nuovo,

— fa' che gli uomini sperimentino la forza rinno-
vatrice della carità.

Hai mangiato la Pasqua con i tuoi discepoli, quale
annuncio del suo compimento nel regno di Dio,

— ammettici al convito eterno insieme ai fratelli
che ci hanno preceduto.

Padre nostro.

ORAZIONE

O Dio, che per la tua gloria e per la nostra salvezza, hai costituito sommo ed eterno sacerdote il
Cristo tuo Figlio, concedi a noi, divenuti tuo popolo mediante il suo sangue, di sperimentare, nella partecipazione al sacrificio eucaristico, la forza
redentrice della croce e della risurrezione. Per il
nostro Signore.

℟. **Amen.**

℣. Il Signore ci benedica, ci preservi da ogni male
e ci conduca alla vita eterna.

℟. **Amen.**

VENERDÌ SANTO
NELLA PASSIONE DEL SIGNORE

Invitatorio

℣. Signore, apri le mie labbra
℟. e la mia bocca proclami la tua lode.

Si enuncia e si ripete l'antifona.

Ant. Venite, adoriamo Cristo, il Figlio di Dio:
con il suo sangue ci ha redenti.

SALMO 94 (p. 203)

Ufficio delle letture

INNO (p. 204)

1 ant. Insorgono i re della terra,
i potenti congiurano insieme
contro il Signore e contro il suo Cristo.

SALMO 2   Il Messia, re vittorioso

*[I capi di] questa città si sono alleati contro il tuo santo
servo Gesù, che tu hai consacrato [Messia] (At 4,27).*

Perché le genti congiurano, *
perché invano cospirano i popoli?

Insorgono i re della terra †
e i principi congiurano insieme *
contro il Signore e contro il suo Messia:

«Spezziamo le loro catene, *
gettiamo via i loro legami».

Se ne ride chi abita i cieli, *
li schernisce dall'alto il Signore.

Egli parla loro con ira, *
li spaventa nel suo sdegno:
«Io l'ho costituito mio sovrano *
sul Sion mio santo monte».

Annuncerò il decreto del Signore. †
Egli mi ha detto: «Tu sei mio figlio, *
io oggi ti ho generato.

Chiedi a me, ti darò in possesso le genti *
e in dominio i confini della terra.
Le spezzerai con scettro di ferro, *
come vasi di argilla le frantumerai».

E ora, sovrani, siate saggi, *
istruitevi, giudici della terra;
servite Dio con timore *
e con tremore esultate;

che non si sdegni *
e voi perdiate la via.
Improvvisa divampa la sua ira. *
Beato chi in lui si rifugia.   *Gloria.*

1 ant. Insorgono i re della terra,
       i potenti congiurano insieme
       contro il Signore e contro il suo Cristo.

2 ant. Si dividono le mie vesti,
       la mia tunica tirano a sorte.

SALMO 21,2-23
Esaudimento del giusto provato dalla sofferenza

Gesù gridò a gran voce: «Dio mio, Dio mio, perché mi hai abbandonato?» (Mt 27,46).

«Dio mio, Dio mio, perché mi hai abbandonato? †
Tu sei lontano dalla mia salvezza»: *
sono le parole del mio lamento.

Dio mio, invoco di giorno e non rispondi, *
grido di notte e non trovo riposo.

Eppure tu abiti la santa dimora, *
tu, lode di Israele.
In te hanno sperato i nostri padri, *
hanno sperato e tu li hai liberati;

a te gridarono e furono salvati, *
sperando in te non rimasero delusi.

Ma io sono verme, non uomo, *
infamia degli uomini, rifiuto del mio popolo.

Mi scherniscono quelli che mi vedono, *
storcono le labbra, scuotono il capo:
«Si è affidato al Signore, lui lo scampi; *
lo liberi, se è suo amico».

Sei tu che mi hai tratto dal grembo, *
mi hai fatto riposare sul petto di mia madre.
Al mio nascere tu mi hai raccolto, *
dal grembo di mia madre sei tu il mio Dio.

Da me non stare lontano, †
poiché l'angoscia è vicina *
e nessuno mi aiuta.

Mi circondano tori numerosi, *
mi assediano tori di Basan.
Spalancano contro di me la loro bocca *
come leone che sbrana e ruggisce.

Come acqua sono versato, *
sono slogate tutte le mie ossa.
Il mio cuore è come cera, *
si fonde in mezzo alle mie viscere.

È arido come un coccio il mio palato, †
la mia lingua si è incollata alla gola, *
su polvere di morte mi hai deposto.

Un branco di cani mi circonda, *
mi assedia una banda di malvagi;
hanno forato le mie mani e i miei piedi, *
posso contare tutte le mie ossa.

Essi mi guardano, mi osservano: †
si dividono le mie vesti, *
sul mio vestito gettano la sorte.

Ma tu, Signore, non stare lontano, *
mia forza, accorri in mio aiuto.
Scampami dalla spada, *
dalle unghie del cane la mia vita.

Salvami dalla bocca del leone *
e dalle corna dei bufali.
Annunzierò il tuo nome ai miei fratelli, *
ti loderò in mezzo all'assemblea.   *Gloria.*

2 ant. Si dividono le mie vesti,
         la mia tunica tirano a sorte.

3 ant. Mi aggrediscono con furore
         quelli che mi cercavano a morte.

SALMO 37
Implorazione del peccatore in estremo pericolo

*Egli non commise peccato... portò i nostri peccati nel suo
corpo sul legno della croce... dalle sue piaghe siamo stati
guariti* (1Pt 2,22.24-25).

Signore, non castigarmi nel tuo sdegno, *
non punirmi nella tua ira.
Le tue frecce mi hanno trafitto, *
su di me è scesa la tua mano.

Per il tuo sdegno non c'è in me nulla di sano, *
nulla è intatto nelle mie ossa per i miei peccati.
Le mie iniquità hanno superato il mio capo, *
come carico pesante mi hanno oppresso.

Putride e fetide sono le mie piaghe *
a causa della mia stoltezza.
Sono curvo e accasciato, *
triste mi aggiro tutto il giorno.

I miei fianchi sono torturati, *
in me non c'è nulla di sano.
Afflitto e sfinito all'estremo, *
ruggisco per il fremito del mio cuore.

Signore, davanti a te ogni mio desiderio *
e il mio gemito a te non è nascosto.

Palpita il mio cuore, †
la forza mi abbandona, *
si spegne la luce dei miei occhi.

Amici e compagni
si scostano dalle mie piaghe, *
i miei vicini stanno a distanza.

Tende lacci chi attenta alla mia vita, †
trama insidie chi cerca la mia rovina *
e tutto il giorno medita inganni.

Io, come un sordo, non ascolto †
e come un muto non apro la bocca; *
sono come un uomo che non sente e non risponde.

In te spero, Signore; *
tu mi risponderai, Signore Dio mio.

Ho detto: «Di me non godano,
contro di me non si vantino *
quando il mio piede vacilla».

Poiché io sto per cadere *
e ho sempre dinanzi la mia pena.
Ecco, confesso la mia colpa, *
sono in ansia per il mio peccato.

I miei nemici sono vivi e forti, *
troppi mi odiano senza motivo,
mi pagano il bene col male, *
mi accusano perché cerco il bene.

Non abbandonarmi, Signore, *
Dio mio, da me non stare lontano;
accorri in mio aiuto, *
Signore, mia salvezza.   *Gloria.*

3 ant. **Mi aggrediscono con furore**
      quelli che mi cercavano a morte.

℣. Falsi testimoni si alzarono contro di me:
℟. **l'empietà mentiva a se stessa.**

PRIMA LETTURA

*Cristo, sommo sacerdote dei beni futuri, entrò una volta per
sempre nel santuario, con il proprio sangue.*

Dalla lettera agli Ebrei   (9,11-28)

[Fratelli], Cristo è venuto come sommo sacerdote
dei beni futuri, attraverso una tenda più grande e
più perfetta, non costruita da mano d'uomo, cioè
non appartenente a questa creazione. Egli entrò
una volta per sempre nel santuario, non mediante
il sangue di capri e di vitelli, ma in virtù del proprio sangue, ottenendo così una redenzione eterna. Infatti, se il sangue dei capri e dei vitelli e la
cenere di una giovenca, sparsa su quelli che sono

contaminati, li santificano purificandoli nella carne, quanto più il sangue di Cristo – il quale, mosso dallo Spirito eterno offrì se stesso senza macchia a Dio – purificherà la nostra coscienza dalle opere morte, per servire il Dio vivente?

Per questo egli è mediatore di un'alleanza nuova, perché, essendo intervenuta la sua morte in riscatto delle trasgressioni commesse sotto la prima alleanza, coloro che sono stati chiamati ricevano l'eredità eterna che era stata promessa. Ora, dove c'è un testamento, è necessario che la morte del testatore sia dichiarata, perché un testamento ha valore solo dopo la morte e rimane senza effetto finché il testatore vive. Per questo neanche la prima alleanza fu inaugurata senza sangue. Infatti, dopo che tutti i comandamenti furono promulgati a tutto il popolo da Mosè, secondo la Legge, questi, preso il sangue dei vitelli e dei capri con acqua, lana scarlatta e issòpo, asperse il libro stesso e tutto il popolo, dicendo: «Questo è il sangue dell'alleanza che Dio ha stabilito per voi». Alla stessa maniera con il sangue asperse anche la tenda e tutti gli arredi del culto. Secondo la legge, infatti, quasi tutte le cose vengono purificate con il sangue, e senza spargimento di sangue non esiste perdono.

Era dunque necessario che le cose raffiguranti le realtà celesti fossero purificate con tali mezzi; ma le stesse realtà celesti, poi, dovevano esserlo con sacrifici superiori a questi. Cristo infatti non è entrato in un santuario fatto da mani d'uomo, figura di quello vero, ma nel cielo stesso, per comparire ora al cospetto di Dio in nostro favore. E non deve offrire se stesso più volte, come il sommo sacerdote che entra nel santuario ogni anno con sangue altrui: in questo caso egli, fin dalla fondazione del mondo, avrebbe dovuto soffrire molte volte. Invece ora, una volta sola, nella pienezza dei tempi, egli è apparso per annullare il peccato mediante il sacrificio di se stesso. E come per gli uomini è stabilito che muoiano una sola volta, dopo di che viene il giudizio, così Cristo, dopo essersi offerto una sola volta per togliere il peccato di molti, apparirà una seconda volta, senza alcuna relazione con il peccato, a coloro che l'aspettano per la loro salvezza.

RESPONSORIO   (cf. Is 53,7.8.5.12)

℟. Era come agnello condotto al macello; maltrattato, non aprì bocca; fu percosso a morte * per dare la salvezza al suo popolo.
℣. Ha consegnato se stesso alla morte, ed è stato annoverato fra gli empi,
℟. per dare la salvezza al suo popolo.

SECONDA LETTURA

La forza del sangue di Cristo.

Dalle «Catechesi» di san Giovanni Crisostomo, vescovo   (3,13-19; SC 50,174-177)

Vuoi conoscere la forza del sangue di Cristo? Richiamiamone la figura, scorrendo le pagine dell'Antico Testamento. Immolate, dice Mosè, un agnello di un anno e col suo sangue segnate le porte. Cosa dici, Mosè? Quando mai il sangue di un agnello ha salvato l'uomo ragionevole? Certamente, sembra rispondere, non perché è sangue, ma perché è immagine del sangue del Signore. Molto più di allora il nemico passerà senza nuocere se vedrà sui battenti non il sangue dell'antico simbolo, ma quello della nuova realtà, vivo e splendente sulle labbra dei fedeli, sulla porta del tempio di Cristo.

Se vuoi comprendere ancor più profondamente la forza di questo sangue, considera da dove cominciò a scorrere e da quale sorgente scaturì. Fu versato sulla croce e sgorgò dal costato del Signore. A Gesù morto e ancora appeso alla croce, racconta il vangelo, s'avvicinò un soldato che gli aprì con un colpo di lancia il costato: ne uscì acqua e sangue. L'una simbolo del battesimo, l'altro dell'eucaristia. Il soldato aprì il costato: dischiuse il tempio sacro, dove ho scoperto un tesoro e dove ho la gioia di trovare splendide ricchezze. La stessa cosa accadde per l'Agnello: i Giudei sgozzarono la vittima ed io godo la salvezza, frutto di quel sacrificio.

E uscì dal fianco sangue ed acqua. Carissimo, non passare troppo facilmente sopra a questo mistero. Ho ancora un altro significato mistico da spiegarti. Ho detto che quell'acqua e quel sangue sono simbolo del battesimo e dell'eucaristia. Ora la Chiesa è nata da questi due sacramenti, da questo bagno di rigenerazione e di rinnovamento nello Spirito Santo per mezzo del battesimo e dell'eucaristia. E i simboli del battesimo e dell'eucaristia sono usciti dal costato. Quindi è dal suo costato che Cristo ha formato la Chiesa, come dal costato di Adamo fu formata Eva. Per questo Paolo, parlando del primo uomo, usa l'espressione: «Osso dalle mie ossa, carne dalla mia carne», per indicarci il costato del Signore. Similmente come Dio formò la donna dal fianco di Adamo, così Cristo ci ha donato l'acqua e il sangue dal suo costato per formare la Chiesa. E come il fianco di Adamo fu toccato da Dio durante il sonno, così Cristo ci ha dato il sangue e l'acqua durante il sonno della sua morte.

Vedete in che modo Cristo unì a sé la sua Sposa, vedete con quale cibo ci nutre. Per il suo sangue nasciamo, con il suo sangue alimentiamo la nostra vita. Come la donna nutre il figlio col proprio latte, così il Cristo nutre costantemente col suo sangue coloro che ha rigenerato.

RESPONSORIO   (cf. 1Pt 1,18-19; Ef 2,18; 1Gv 1,7)

℟. Non a prezzo di cose corruttibili, come argento e oro, foste liberati; ma con il sangue prezioso di Cristo, agnello senza macchia. * Per mezzo di lui possiamo presentarci al Padre in un solo Spirito.
℣. Il sangue di Gesù, Figlio di Dio, ci purifica da ogni peccato;
℟. per mezzo di lui possiamo presentarci al Padre in un solo Spirito.

ORAZIONE

Guarda con amore, Padre, questa tua famiglia, per la quale il Signore nostro Gesù Cristo non esitò a consegnarsi nelle mani dei nemici e a subire il supplizio della croce. Egli è Dio, e vive e regna...
℟. Amen.

℣. Benediciamo il Signore.
℟. Rendiamo grazie a Dio.

Lodi mattutine

℣. O Dio, vieni a salvarmi.
℟. **Signore, vieni presto in mio aiuto.**
Gloria al Padre...

INNO (p. 211).

1 ant. Dio non ha risparmiato il suo unico Figlio:
lo ha dato alla morte per salvare tutti noi.

SALMO 50   Pietà di me, o Signore

*Rinnovatevi nello spirito della vostra mente e rivestite l'uo-
mo nuovo* (Ef 4,23-24).

Pietà di me, o Dio,
secondo la tua misericordia; *
nel tuo grande amore
cancella il mio peccato.

Lavami da tutte le mie colpe, *
mondami dal mio peccato.
Riconosco la mia colpa, *
il mio peccato mi sta sempre dinanzi.

Contro di te, contro te solo ho peccato, *
quello che è male ai tuoi occhi, io l'ho fatto;
perciò sei giusto quando parli, *
retto nel tuo giudizio.

Ecco, nella colpa sono stato generato, *
nel peccato mi ha concepito mia madre.
Ma tu vuoi la sincerità del cuore *
e nell'intimo m'insegni la sapienza.

Purificami con issòpo e sarò mondato; *
lavami e sarò più bianco della neve.
Fammi sentire gioia e letizia, *
esulteranno le ossa che hai spezzato.

Distogli lo sguardo dai miei peccati, *
cancella tutte le mie colpe.
Crea in me, o Dio, un cuore puro, *
rinnova in me uno spirito saldo.

Non respingermi dalla tua presenza *
e non privarmi del tuo santo spirito.
Rendimi la gioia di essere salvato, *
sostieni in me un animo generoso.

Insegnerò agli erranti le tue vie *
e i peccatori a te ritorneranno.
Liberami dal sangue, Dio, Dio mia salvezza, *
la mia lingua esalterà la tua giustizia.

Signore, apri le mie labbra *
e la mia bocca proclami la tua lode;
poiché non gradisci il sacrificio *
e se offro olocausti, non li accetti.

Uno spirito contrito *
è sacrificio a Dio,
un cuore affranto e umiliato *
tu, o Dio, non disprezzi.

Nel tuo amore
fa' grazia a Sion, *
rialza le mura
di Gerusalemme.

Allora gradirai i sacrifici prescritti, *
l'olocausto e l'intera oblazione,
allora immoleranno vittime *
sopra il tuo altare.   *Gloria.*

1 ant. **Dio non ha risparmiato il suo unico Figlio:**
       lo ha dato alla morte per salvare tutti noi.

2 ant. **Gesù Cristo ci ha amato,**
         e ci ha lavato da ogni colpa nel suo sangue.

CANTICO   Dio appare per il giudizio (Ab 3,2-4.13a.15-19)

Allora vedranno il Figlio dell'uomo venire su una nube con
grande potenza e gloria. Risollevatevi e alzate il capo, perché
la vostra liberazione è vicina (Lc 21,27-28).

Signore, ho ascoltato il tuo annuncio, *
Signore, ho avuto timore della tua opera.

Nel corso degli anni manifestala †
falla conoscere nel corso degli anni. *
Nello sdegno ricordati di avere clemenza.

Dio viene da Tèman, *
il Santo dal monte Pàran.

La sua maestà ricopre i cieli, *
delle sue lodi è piena la terra.

Il suo splendore è come la luce, †
bagliori di folgore escono dalle sue mani: *
là si cela la sua potenza.

Sei uscito per salvare il tuo popolo, *
per salvare il tuo consacrato.
Hai affogato nel mare i cavalli dell'empio *
nella melma di grandi acque.

Ho udito e fremette il mio cuore, *
a tal voce tremò il mio labbro,
la carie entra nelle mie ossa *
e sotto di me tremano i miei passi.

Sospiro nel giorno dell'angoscia *
che verrà contro il popolo che ci opprime.

Il fico infatti non metterà germogli, †
nessun prodotto daranno le viti, *
cesserà il raccolto dell'olivo,

i campi non daranno più cibo, †
i greggi spariranno dagli ovili *
e le stalle rimarranno senza buoi.

Ma io gioirò nel Signore, *
esulterò in Dio mio salvatore.

Il Signore Dio è la mia forza, †
egli rende i miei piedi come quelli delle cerve *
e sulle alture mi fa camminare.   *Gloria.*

2 ant. Gesù Cristo ci ha amato,
      e ci ha lavato da ogni colpa
      nel suo sangue.

3 ant. Adoriamo la tua croce, Signore,
      acclamiamo la tua risurrezione:
      da questo albero di vita
      la gioia è venuta nel mondo.

SALMO 147   La Gerusalemme riedificata

Vieni, ti mostrerò la promessa sposa, la sposa dell'Agnello (Ap 21,9).

Glorifica il Signore, Gerusalemme, *
loda, Sion, il tuo Dio.
Perché ha rinforzato le sbarre delle tue porte, *
in mezzo a te ha benedetto i tuoi figli.

Egli ha messo pace nei tuoi confini *
e ti sazia con fior di frumento.
Manda sulla terra la sua parola, *
il suo messaggio corre veloce.

Fa scendere la neve come lana, *
come polvere sparge la brina.
Getta come briciole la grandine, *
di fronte al suo gelo chi resiste?

Manda una sua parola ed ecco si scioglie, *
fa soffiare il vento e scorrono le acque.
Annuncia a Giacobbe la sua parola, *
le sue leggi e i suoi decreti a Israele.

Così non ha fatto
con nessun altro popolo, *
non ha manifestato ad altri
i suoi precetti. *Gloria.*

3 ant. **Adoriamo la tua croce, Signore,**
            acclamiamo la tua risurrezione:
            da questo albero di vita
            la gioia è venuta nel mondo.

LETTURA BREVE   (Is 52,13-15)

Ecco, il mio servo avrà successo, sarà onorato,
esaltato e innalzato grandemente. Come molti si
stupirono di lui – tanto era sfigurato per essere
d'uomo il suo aspetto e diversa la sua forma da
quella dei figli dell'uomo –, così si meraviglieranno di lui molte nazioni; i re davanti a lui si chiuderanno la bocca, poiché vedranno un fatto mai a
essi raccontato e comprenderanno ciò che mai
avevano udito.

Invece del responsorio breve si dice:

Ant.   **Cristo per noi si è fatto obbediente**
       sino alla morte, e alla morte in croce.

CANTICO DI ZACCARIA (cf. pp. 216-217)

Ant. al Ben. **Sopra la sua testa era scritta l'accusa:**
               Gesù Nazareno, re dei giudei.

Gloria e benedizione a Cristo nostro redentore, che patì e morì per noi, e fu sepolto per risorgere a vita immortale. A lui con profondo amore innalziamo la nostra preghiera:
Abbi pietà di noi, Signore.

Divino Maestro, che ti sei fatto per noi obbediente fino alla morte e alla morte di croce,
— insegnaci a obbedire sempre alla volontà del Padre.

Gesù, vita nostra, che morendo sulla croce hai vinto la morte e l'inferno,
— donaci di comunicare alla tua morte per condividere la tua risurrezione.

Re glorioso, inchiodato su un patibolo infame e calpestato come un verme,
— insegna a noi come rivestirci di quell'umiltà che ha redento il mondo.

Salvezza nostra, che hai sacrificato la vita per amore dei fratelli,
— fa' che ci amiamo come tu ci hai amato.

Redentore nostro, che hai steso le braccia sulla croce per stringere a te tutto il genere umano in un vincolo indistruttibile di amore,
— raccogli nel tuo regno tutti i figli di Dio dispersi.

Padre nostro.

ORAZIONE

Guarda con amore, Padre, questa tua famiglia, per la quale il Signore nostro Gesù Cristo non esitò a consegnarsi nelle mani dei nemici e a subire il supplizio della croce. Egli è Dio, e vive e regna...
℞. **Amen.**

℣ Il Signore ci benedica, ci preservi da ogni male
e ci conduca alla vita eterna.

℟ **Amen.**

Vespri

*Per coloro che non partecipano all'azione liturgica po-
meridiana.*

℣ **O Dio, vieni a salvarmi.**

℟ **Signore, vieni presto in mio aiuto.**

Gloria al Padre...

INNO (*Vexilla regis*, cf. p. 283)

Ecco il vessillo della croce,
mistero di morte e di gloria:
l'artefice di tutto il creato
è appeso a un patibolo.

Un colpo di lancia trafigge
il cuore del Figlio di Dio:
sgorga acqua e sangue, un torrente
che lava i peccati del mondo.

O albero fecondo e glorioso,
ornato d'un manto regale,
talamo, trono ed altare
al corpo di Cristo Signore.

O croce beata che apristi
le braccia a Gesù redentore,
bilancia del grande riscatto
che tolse la preda all'inferno.

Ave, o croce, unica speranza,
in questo tempo di passione
accresci ai fedeli la grazia,
ottieni alle genti la pace. Amen.

1 ant. Guardate, popoli tutti,
vedete il mio dolore.

SALMO 115   Il calice del Signore è dono di salvezza

*Quanto a me invece non ci sia altro vanto che nella croce del
Signore nostro Gesù Cristo* (Gal 6,14).

Ho creduto anche quando dicevo: *
«Sono troppo infelice».
Ho detto con sgomento: *
«Ogni uomo è inganno».

Che cosa renderò al Signore *
per quanto mi ha dato?
Alzerò il calice della salvezza *
e invocherò il nome del Signore.

Adempirò i miei voti al Signore, *
davanti a tutto il suo popolo.
Preziosa agli occhi del Signore *
è la morte dei suoi fedeli.

Sì, io sono il tuo servo, Signore, †
io sono tuo servo, figlio della tua ancella; *
hai spezzato le mie catene.

A te offrirò sacrifici di lode *
e invocherò il nome del Signore.

Adempirò i miei voti al Signore *
davanti a tutto il suo popolo,
negli atri della casa del Signore, *
in mezzo a te, Gerusalemme.   *Gloria.*

1 ant. Guardate, popoli tutti,
vedete il mio dolore.
2 ant. Il mio spirito è nell'angoscia,
il mio cuore è turbato fino alla morte.

Salmo 142,1-11
Ascoltami, Signore, Dio dei viventi

Dio ha tanto amato il mondo da dare il Figlio unigenito, perché chiunque crede in lui non vada perduto, ma abbia la vita eterna (Gv 3,16).

Signore, ascolta la mia preghiera, †
porgi l'orecchio alla mia supplica,
tu che sei fedele, *
e per la tua giustizia rispondimi.

Non chiamare in giudizio il tuo servo: *
nessun vivente davanti a te è giusto.

Il nemico mi perseguita, *
calpesta a terra la mia vita,
mi ha relegato nelle tenebre *
come i morti da gran tempo.

In me languisce il mio spirito, *
si agghiaccia il mio cuore.

Ricordo i giorni antichi, †
ripenso a tutte le tue opere, *
medito sui tuoi prodigi.

A te protendo le mie mani, *
sono davanti a te come terra riarsa.
Rispondimi presto, Signore, *
viene meno il mio spirito.

Non nascondermi il tuo volto, *
perché non sia come chi scende nella fossa.
Al mattino fammi sentire la tua grazia, *
poiché in te confido.

Fammi conoscere la strada da percorrere, *
perché a te si innalza l'anima mia.
Salvami dai miei nemici, Signore, *
a te mi affido.

Insegnami a compiere il tuo volere, †
perché sei tu il mio Dio. *
Il tuo spirito buono mi guidi in terra piana.

Per il tuo nome, Signore, fammi vivere, *
liberami dall'angoscia; per la tua giustizia. *Gloria.*

2 ant. **Il mio spirito è nell'angoscia,**
il mio cuore è turbato fino alla morte.

3 ant. **Gesù, preso l'aceto, disse: Tutto è compiuto.**
E, chinato il capo, spirò.

CANTICO   Cristo, servo di Dio   (Fil 2,6-11)

Cristo Gesù, pur essendo di natura divina, *
non considerò un tesoro geloso
la sua uguaglianza con Dio;

ma spogliò se stesso, †
assumendo la condizione di servo *
e divenendo simile agli uomini;

apparso in forma umana, umiliò se stesso †
facendosi obbediente fino alla morte *
e alla morte di croce.

Per questo Dio l'ha esaltato *
e gli ha dato il nome
che è al di sopra di ogni altro nome;

perché nel nome di Gesù ogni ginocchio si pieghi †
nei cieli, sulla terra *
e sotto terra;

e ogni lingua proclami
che Gesù Cristo è il Signore, *
a gloria di Dio Padre.   *Gloria.*

3 ant. **Gesù, preso l'aceto, disse: Tutto è compiuto.**
E, chinato il capo, spirò.

LETTURA BREVE 1Pt 2,21-25a

Cristo patì per voi, lasciandovi un esempio, perché ne seguiate le orme: egli non commise peccato e non si trovò inganno sulla sua bocca; insultato, non rispondeva con insulti, maltrattato, non minacciava vendetta, ma si affidava a colui che giudica con giustizia. Egli portò i nostri peccati nel suo corpo sul legno della croce, perché, non vivendo più per il peccato, vivessimo per la giustizia; dalle sue piaghe siete stati guariti.

Invece del responsorio breve si dice:

Ant. Cristo per noi si è fatto obbediente
   sino alla morte, e alla morte in croce.

CANTICO DELLA BEATA VERGINE (cf. p. 223)

Ant. al Magn. Noi che eravamo nemici, ora siamo riconciliati con Dio nella morte del suo Figlio.

Come intercessioni è bene dire la preghiera universale prevista per questo giorno (cf. pp. 113-118). Si può tuttavia adottare il testo che segue:

INTERCESSIONI

La Chiesa commemora con immenso amore la morte del Cristo, dal cui fianco squarciato è scaturita la vita del mondo. Uniti ai nostri fratelli di fede, sparsi su tutta la terra, rivolgiamo al Padre la nostra umile preghiera:
   Per la morte del tuo Figlio ascoltaci, Signore.

Raduna la tua Chiesa. ℟.

Proteggi il nostro Papa N. ℟.

Santifica i ministri e tutti i fedeli del tuo popolo. ℞.

Fa' crescere nei catecumeni il germe della fede e la conoscenza dei tuoi santi misteri. ℞.

Riunisci i cristiani nell'unità della Chiesa. ℞.

Guida alla pienezza della redenzione l'antico popolo eletto. ℞.

Illumina i non cristiani con la luce del vangelo. ℞.

Aiuta gli atei a scoprire nell'uomo e nell'universo i segni del tuo amore. ℞.

Padre nostro.

ORAZIONE

Guarda con amore, Padre, questa tua famiglia, per la quale il Signore nostro Gesù Cristo non esitò a consegnarsi nelle mani dei nemici e a subire il supplizio della croce. Per il nostro Signore.
℞. **Amen.**

℣. Il Signore ci benedica, ci preservi da ogni male e ci conduca alla vita eterna.
℞. **Amen.**

SABATO SANTO

Invitatorio

V. Signore, apri le mie labbra
R. e la mia bocca proclami la tua lode.

Si enuncia e si ripete l'antifona.

Ant. Venite, adoriamo il Signore,
crocifisso e sepolto per noi.

SALMO 94 (p. 203)

Ufficio delle letture

INNO (p. 204)

1 ant. Tranquillo mi addormento,
e riposerò nella pace.

SALMO 4   E Dio disse: «Rifulga la luce dalle tenebre»

*E Dio rifulse nei nostri cuori, per far risplendere la cono-
scenza della gloria di Dio sul volto di Cristo* (2Cor 4,6).

Quando ti invoco, rispondimi,
Dio, mia giustizia: †
dalle angosce mi hai liberato; *
pietà di me, ascolta la mia preghiera.

Fino a quando, o uomini, sarete duri di cuore? *
Perché amate cose vane
e cercate la menzogna?

Sappiate che il Signore
fa prodigi per il suo fedele: *
il Signore mi ascolta quando lo invoco.

Tremate e non peccate, *
sul vostro giaciglio riflettete e placatevi.

Offrite sacrifici di giustizia *
e confidate nel Signore.

Molti dicono: «Chi ci farà vedere il bene?». *
Risplenda su di noi, Signore,
la luce del tuo volto.

Hai messo più gioia nel mio cuore *
di quando abbondano vino e frumento.

In pace mi corico e subito mi addormento: *
tu solo, Signore, al sicuro mi fai riposare.   *Gloria.*

1 ant. Tranquillo mi addormento,
       e riposerò nella pace.

2 ant. Nella speranza la mia carne riposa.

SALMO 15   Il Signore è mia eredità

Dio ha risucitato Gesù, liberandolo dai dolori della morte
(At 2,24).

Proteggimi, o Dio: *
in te mi rifugio.
Ho detto a Dio: «Sei tu il mio Signore, *
senza di te non ho alcun bene».

Per i santi, che sono sulla terra, uomini nobili, *
è tutto il mio amore.

Si affrettino altri a costruire idoli: †
io non spanderò le loro libagioni di sangue, *
né pronunzierò con le mie labbra i loro nomi.

Il Signore è mia parte di eredità e mio calice: *
nelle tue mani è la mia vita.
Per me la sorte è caduta su luoghi deliziosi, *
la mia eredità è magnifica.

Benedico il Signore che mi ha dato consiglio; *
anche di notte il mio cuore mi istruisce.
Io pongo sempre innanzi a me il Signore, *
sta alla mia destra, non posso vacillare.

Di questo gioisce il mio cuore, †
esulta la mia anima; *
anche il mio corpo riposa al sicuro,

perché non abbandonerai la mia vita nel sepolcro, *
né lascerai che il tuo santo veda la corruzione.

Mi indicherai il sentiero della vita, †
gioia piena nella tua presenza, *
dolcezza senza fine alla tua destra.   *Gloria.*

2 ant. Nella speranza la mia carne riposa.

3 ant. Apritevi, porte antiche
        ed entri il re della gloria!

Salmo 23   Signore, illumina il nostro cammino

Nella pienezza della fede, manteniamo senza vacillare la professione della nostra speranza, perché è degno di fede colui che ha promesso (At 10,22-23).

Del Signore è la terra e quanto contiene, *
l'universo e i suoi abitanti.
È lui che l'ha fondata sui mari, *
e sui fiumi l'ha stabilita.

Chi salirà il monte del Signore, *
chi starà nel suo luogo santo?

Chi ha mani innocenti e cuore puro, †
chi non pronuncia menzogna, *
chi non giura a danno del suo prossimo.

Otterrà benedizione dal Signore, *
giustizia da Dio sua salvezza.
Ecco la generazione che lo cerca, *
che cerca il tuo volto, Dio di Giacobbe.

Sollevate, porte, i vostri frontali, †
alzatevi, porte antiche, *
ed entri il re della gloria.

Chi è questo re della gloria? †
Il Signore forte e potente, *
il Signore potente in battaglia.

Sollevate, porte, i vostri frontali, †
alzatevi, porte antiche, *
ed entri il re della gloria.

Chi è questo re della gloria? *
Il Signore degli eserciti è il re della gloria.   *Gloria.*

3 ant. Apritevi, porte antiche
        ed entri il re della gloria!

℣. Giudica la mia causa e salvami:
℟. **nella tua parola fammi vivere.**

PRIMA LETTURA

Affrettiamoci ad entrare nel riposo del Signore.

Dalla lettera agli Ebrei   (4,1-16)

[Fratelli], dovremmo dunque avere il timore che,
mentre rimane ancora in vigore la promessa di
entrare nel riposo [del Signore], qualcuno di voi
ne sia giudicato escluso. Poiché anche noi, come
[i nostri padri], abbiamo ricevuto il Vangelo: ma
a loro la parola udita non giovò affatto, perché
non sono rimasti uniti a quelli che avevano ascol-

tato con fede. Infatti noi, che abbiamo creduto, entriamo in quel riposo, come egli ha detto: «Così ho giurato nella mia ira: non entreranno nel mio riposo!».

Questo, benché le sue opere fossero compiute fin dalla fondazione del mondo. Si dice infatti in un passo della Scrittura a proposito del settimo giorno: «E nel settimo giorno Dio si riposò da tutte le sue opere». E ancora in questo passo: «Non entreranno nel mio riposo!». Poiché dunque risulta che alcuni entrano in quel riposo e quelli che per primi ricevettero il Vangelo non vi entrarono a causa della loro disobbedienza, Dio fissa di nuovo un giorno, oggi, dicendo mediante Davide, dopo tanto tempo: «Oggi, se udite la sua voce, non indurite i vostri cuori!». Se Giosuè infatti li avesse introdotti in quel riposo, Dio non avrebbe parlato, in seguito, di un altro giorno. Dunque, per il popolo di Dio è riservato un riposo sabbatico. Chi infatti è entrato nel riposo di lui, riposa anch'egli dalle sue opere, come Dio dalle proprie. Affrettiamoci dunque a entrare in quel riposo, perché nessuno cada nello stesso tipo di disobbedienza.

Infatti la parola di Dio è viva, efficace e più tagliente di ogni spada a doppio taglio; essa penetra fino al punto di divisione dell'anima e dello spirito, fino alle giunture e alle midolla, e discerne i sentimenti e i pensieri del cuore. Non vi è creatura che possa nascondersi davanti a Dio, ma tutto è nudo e scoperto agli occhi di colui al quale noi dobbiamo rendere conto.

Dunque, poiché abbiamo un sommo sacerdote grande, che è passato attraverso i cieli, Gesù il Figlio di Dio, manteniamo ferma la professione della fede. Infatti non abbiamo un sommo sacerdote che non sappia prendere parte alle nostre debolezze: egli stesso è stato messo alla prova in ogni cosa come noi, escluso il peccato. Accostiamoci dunque con piena fiducia al trono della grazia per ricevere misericordia e trovare grazia, così da essere aiutati al momento opportuno.

RESPONSORIO   (cf. Mt 27,60.66.62)

℞. Deposero il Signore nella tomba, e rotolata una gran pietra sulla porta del sepolcro, la sigillarono, * e misero guardie a custodire il sepolcro.
℣. Si riunirono presso Pilato i sommi sacerdoti,
℞. e misero guardie a custodire il sepolcro.

SECONDA LETTURA

La discesa agli inferi del Signore.

Da un'antica «Omelia sul sabato santo»
(PG 43,439.451.462-463)

Che cosa è avvenuto? Oggi sulla terra c'è grande silenzio, grande silenzio e solitudine. Grande silenzio perché il Re dorme: la terra è rimasta sbigottita e tace perché il Dio fatto carne si è addormentato e ha svegliato coloro che da secoli dormivano. Dio è morto nella carne ed è sceso a scuotere il regno degli inferi.

Certo egli va a cercare il primo padre, come la pecorella smarrita. Egli vuole scendere a visitare quelli che siedono nelle tenebre e nell'ombra di morte. Dio e il Figlio suo vanno a liberare dalle sofferenze Adamo ed Eva che si trovano in prigione. Il Signore entrò da loro portando le armi vittoriose della croce. Appena Adamo, il progenitore, lo vide, percuotendosi il petto per la meraviglia, gridò a tutti e disse: «Sia con tutti il mio Signore». E Cristo rispondendo disse ad Adamo: «E con il tuo spirito». E, presolo per mano, lo scosse, dicendo: «Svegliati, tu che dormi, e risorgi dai morti, e Cristo ti illuminerà.

Io sono il tuo Dio, che per te sono diventato tuo figlio; che per te e per questi, che da te hanno avuto origine, ora parlo e nella mia potenza ordino a coloro che erano in carcere: Uscite! A coloro che erano nelle tenebre: Siate illuminati! A coloro che erano morti: Risorgete! A te comando: Svegliati, tu che dormi! Infatti non ti ho creato perché rimanessi prigioniero nell'inferno. Risorgi dai morti. Io sono la vita dei morti. Risorgi, opera delle mie mani! Risorgi mia effige, fatta a mia immagine! Risorgi, usciamo di qui! Tu in me e io in te siamo infatti un'unica e indivisa natura.

Per te io, tuo Dio, mi sono fatto tuo figlio. Per te io, il Signore, ho rivestito la tua natura di servo. Per te, io che sto al di sopra dei cieli, sono venuto sulla terra e al di sotto della terra. Per te uomo ho condiviso la debolezza umana, ma poi son diventato libero tra i morti. Per te, che sei uscito dal giardino del paradiso terrestre, sono stato tradito in un giardino e dato in mano ai Giudei, e in un giardino sono stato messo in croce. Guarda sulla mia faccia gli sputi che io ricevetti per te, per poterti restituire a quel primo soffio vitale. Guarda sulle mie guance gli schiaffi, sopportati per rifare a mia immagine la tua bellezza perduta.

Guarda sul mio dorso la flagellazione subita per liberare le tue spalle dal peso dei tuoi peccati. Guarda le mie mani inchiodate al legno per te, che un tempo avevi malamente allungato la tua mano all'albero. Morii sulla croce e la lancia penetrò nel mio costato, per te che ti addormentasti nel paradiso e facesti uscire Eva dal tuo fianco. Il mio costato sanò il dolore del tuo fianco. Il mio sonno ti libererà dal sonno dell'inferno. La mia lancia trattenne la lancia che si era rivolta contro di te.

Sorgi, allontaniamoci di qui. Il nemico ti fece uscire dalla terra del paradiso. Io invece non ti rimetto più in quel giardino, ma ti colloco sul trono celeste. Ti fu proibito di toccare la pianta simbolica della vita, ma io, che sono la vita, ti comunico quello che sono. Ho posto dei cherubini che come servi ti custodissero. Ora faccio sì che i cherubini ti adorino quasi come Dio, anche se non sei Dio.

Il trono celeste è pronto, pronti e agli ordini sono i portatori, la sala è allestita, la mensa apparecchiata, l'eterna dimora è addobbata, i forzieri aperti. In altre parole, è preparato per te dai secoli eterni il regno dei cieli».

RESPONSORIO

℟. Si è allontanato il nostro pastore, la fonte di acqua viva, alla cui morte si è oscurato il sole. Colui che teneva schiavo il primo uomo è stato fatto schiavo lui stesso: * oggi il nostro Salvatore ha abbattuto le porte e le sbarre della morte.

℣. Ha distrutto la prigione dell'inferno, ha rovesciato la potenza del diavolo;

℟. oggi il nostro Salvatore ha abbattuto le porte e le sbarre della morte.

ORAZIONE

O Dio eterno e onnipotente, che ci concedi di celebrare il mistero del Figlio tuo Unigenito disceso nelle viscere della terra, fa' che sepolti con lui nel battesimo, risorgiamo con lui nella gloria della risurrezione. Egli è Dio, e vive e regna...

℟. **Amen.**

℣. Benediciamo il Signore.
℟. **Rendiamo grazie a Dio.**

Lodi mattutine

℣. O Dio, vieni a salvarmi.
℟. **Signore, vieni presto in mio aiuto.**
Gloria al Padre...

INNO (p. 211)

1 ant. Canteranno su di lui il lamento,
come per un figlio unico:
l'innocente, il Signore, è stato ucciso.

SALMO 63   Chi dona la sua vita risorge nel Signore

La parola della croce infatti è stoltezza per quelli che si perdono, ma per quelli che si salvano, ossia per noi, è potenza di Dio (1Cor 1,18).

Ascolta, Dio, la voce del mio lamento, *
dal terrore del nemico preserva la mia vita.
Proteggimi dalla congiura degli empi, *
dal tumulto dei malvagi.

Affilano la loro lingua come spada, †
scagliano come frecce parole amare *
per colpire di nascosto l'innocente;

lo colpiscono di sorpresa *
e non hanno timore.

Si ostinano nel fare il male, †
si accordano per nascondere tranelli, *
dicono: «Chi li potrà vedere?».

Meditano iniquità, attuano le loro trame: *
un baratro è l'uomo e il suo cuore un abisso.

Ma Dio li colpisce con le sue frecce: *
all'improvviso essi sono feriti,
la loro stessa lingua li farà cadere: *
chiunque, al vederli, scuoterà il capo.

Allora tutti saranno presi da timore, †
annunzieranno le opere di Dio *
e capiranno ciò che egli ha fatto.

Il giusto gioirà nel Signore †
e riporrà in lui la sua speranza, *
i retti di cuore ne trarranno gloria.   *Gloria.*

1 ant. Canteranno su di lui il lamento,
          come per un figlio unico:
          l'innocente, il Signore, è stato ucciso.

2 ant. Dal potere delle tenebre
          libera, Signore, la mia anima.

CANTICO   Angosce di un moribondo,
             gioia di un risanato   (Is 38,10-14.17-20)

*Io ero morto, ma ora vivo per sempre e ho le chiavi della
morte e degli inferi (Ap 1,18).*

Io dicevo: «A metà della mia vita †
me ne vado alle porte degli inferi; *
sono privato del resto dei miei anni».

Dicevo: «Non vedrò più il Signore *
sulla terra dei viventi,
non vedrò più nessuno *
fra gli abitanti di questo mondo.

La mia tenda è stata divelta e gettata lontano, *
come una tenda di pastori.

Come un tessitore hai arrotolato la mia vita, †
mi recidi dall'ordito. *
In un giorno e una notte mi conduci alla fine».

Io ho gridato fino al mattino. *
Come un leone, così egli stritola tutte le mie ossa.
Pigolo come una rondine *
gemo come una colomba.

Sono stanchi i miei occhi *
di guardare in alto.

Tu hai preservato la mia vita
dalla fossa della distruzione, *
perché ti sei gettato dietro le spalle
tutti i miei peccati.

Poiché non ti lodano gli inferi, *
né la morte ti canta inni;
quanti scendono nella fossa *
nella tua fedeltà non sperano.

Il vivente, il vivente ti rende grazie *
come io faccio quest'oggi.
Il padre farà conoscere ai figli *
la fedeltà del tuo amore.

Il Signore si è degnato di aiutarmi; †
per questo canteremo sulle cetre
tutti i giorni della nostra vita, *
canteremo nel tempio del Signore». *Gloria.*

2 ant. Dal potere delle tenebre
libera, Signore, la mia anima.

3 ant. Ero morto, ora vivo nei secoli:
mie sono le chiavi della morte e dell'inferno.

SALMO 150   Ogni vivente dia lode al Signore

*A Dio la gloria nella Chiesa e in Cristo Gesù per tutte le
generazioni* (Ef 3,21).

Lodate il Signore nel suo santuario, *
lodatelo nel firmamento della sua potenza.
Lodatelo per i suoi prodigi, *
lodatelo per la sua immensa grandezza.

Lodatelo con squilli di tromba, *
lodatelo con arpa e cetra;
lodatelo con timpani e danze, *
lodatelo sulle corde e sui flauti.

Lodatelo con cembali sonori, †
lodatelo con cembali squillanti; *
ogni vivente
dia lode al Signore.   *Gloria.*

3 ant. Ero morto, ora vivo nei secoli:
mie sono le chiavi della morte e dell'inferno.

LETTURA BREVE   (Os 5,15b-6,2)

[Così dice il Signore:] Ricorreranno a me nella
loro angoscia. «Venite, ritorniamo al Signore:
egli ci ha straziato ed egli ci guarirà. Egli ci ha
percosso ed egli ci fascerà. Dopo due giorni ci
ridarà la vita e il terzo ci farà rialzare e noi vivremo alla sua presenza».

Invece del responsorio breve si dice:

Ant. Cristo per noi si è fatto obbediente
sino alla morte, e alla morte in croce.
Per questo Dio lo ha innalzato,
e gli ha dato un nome sopra ogni altro nome.

CANTICO DI ZACCARIA (pp. 216-217)

Ant. al Ben. Salvaci, Salvatore del mondo!
Sulla croce ci hai redenti con il tuo sangue:
aiutaci, Signore nostro Dio.

INVOCAZIONI

Adoriamo e benediciamo il nostro Redentore che
patì, morì per noi e fu sepolto, per risorgere a
vita immortale. Pieni di riconoscenza e di amore rivolgiamo al Cristo la nostra preghiera:
Abbi pietà di noi, Signore.

Cristo Salvatore, che hai voluto vicino alla tua croce e al tuo sepolcro la tua Madre addolorata,
— fa' che in mezzo alle sofferenze e alle lotte
della vita comunichiamo alla tua passione.

Cristo Signore, che come il chicco di frumento
fosti sepolto nella terra per una sovrabbon-
dante messe di vita eterna,
— fa' che, morti definitivamente al peccato, viviamo con te per il Padre.

Maestro divino, che nei giorni della sepoltura ti
sei nascosto agli occhi di tutti gli uomini,
— insegnaci ad amare la vita nascosta con te nel
mistero del Padre.

Nuovo Adamo, che sei disceso nel regno dei
morti per liberare le anime dei giusti prigionieri fin dall'origine del mondo,

— fa' che tutti coloro che sono prigionieri del male
ascoltino la tua voce e risorgano insieme con te.
Cristo, Figlio di Dio, che mediante il battesimo
ci hai uniti misticamente a te nella morte e
nella sepoltura,
— fa' che, configurati alla tua risurrezione, viviamo una vita nuova.

Padre nostro.

ORAZIONE

O Dio eterno e onnipotente, che ci concedi di
celebrare il mistero del Figlio tuo Unigenito, disceso nelle viscere della terra, fa' che, sepolti con
lui nel battesimo, risorgiamo con lui nella gloria
della risurrezione. Egli è Dio, e vive e regna...
℟. **Amen.**
℣. Il Signore ci benedica, ci preservi da ogni male
e ci conduca alla vita eterna.
℟. **Amen.**

Vespri

℣. O Dio, vieni a salvarmi.
℟. **Signore, vieni presto in mio aiuto.**
Gloria al Padre...

INNO (cf. p. 242)

1 ant. **O morte, sarò la tua morte;
inferno, sarò la tua rovina.**

SALMO 115
Ti rendo grazie, Signore, perché mi hai salvato

*Signore, da chi andremo? Tu hai parole di vita eterna e noi
abbiamo creduto e conosciuto che tu sei il Santo di Dio* (Gv
6,68-69).

Ho creduto anche quando dicevo: *
«Sono troppo infelice».
Ho detto con sgomento: *
«Ogni uomo è inganno».

Che cosa renderò al Signore *
per quanto mi ha dato?
Alzerò il calice della salvezza *
e invocherò il nome del Signore.

Adempirò i miei voti al Signore, *
davanti a tutto il suo popolo.
Preziosa agli occhi del Signore *
è la morte dei suoi fedeli.

Sì, io sono il tuo servo, Signore, †
io sono tuo servo, figlio della tua ancella; *
hai spezzato le mie catene.

A te offrirò sacrifici di lode *
e invocherò il nome del Signore.

Adempirò i miei voti al Signore *
davanti a tutto il suo popolo,
negli atri della casa del Signore, *
in mezzo a te, Gerusalemme. *Gloria.*

1 ant. O morte, sarò la tua morte;
        inferno, sarò la tua rovina.

2 ant. Tre giorni e tre notti
        Giona rimase nel ventre del pesce:
        così il Figlio dell'uomo nel cuore della terra.

SALMO 142,1-11   Ascoltami, Signore, Dio dei viventi

*Dio ha tanto amato il mondo da dare il Figlio unigenito,
perché chiunque crede in lui non vada perduto, ma abbia
la vita eterna (Gv 3,16).*

Signore, ascolta la mia preghiera, †
porgi l'orecchio alla mia supplica,
tu che sei fedele, *
e per la tua giustizia rispondimi.

Non chiamare in giudizio il tuo servo: *
nessun vivente davanti a te è giusto.

Il nemico mi perseguita, *
calpesta a terra la mia vita,
mi ha relegato nelle tenebre *
come i morti da gran tempo.

In me languisce il mio spirito, *
si agghiaccia il mio cuore.

Ricordo i giorni antichi, †
ripenso a tutte le tue opere, *
medito sui tuoi prodigi.

A te protendo le mie mani, *
sono davanti a te come terra riarsa.
Rispondimi presto, Signore, *
viene meno il mio spirito.

Non nascondermi il tuo volto, *
perché non sia come chi scende nella fossa.
Al mattino fammi sentire la tua grazia, *
poiché in te confido.

Fammi conoscere la strada da percorrere, *
perché a te si innalza l'anima mia.
Salvami dai miei nemici, Signore, *
a te mi affido.

Insegnami a compiere il tuo volere, †
perché sei tu il mio Dio. *
Il tuo spirito buono mi guidi in terra piana.

Per il tuo nome, Signore, fammi vivere, *
liberami dall'angoscia, per la tua giustizia. *Gloria.*

2 ant. **Tre giorni e tre notti**
          Giona rimase nel ventre del pesce:
          così il Figlio dell'uomo nel cuore della terra.

3 ant. **Distruggete questo tempio,**
          e in tre giorni lo ricostruirò, dice il Signore;
          e parlava del tempio del suo corpo.

CANTICO   Cristo, servo di Dio   (Fil 2,6-11)

Cristo Gesù, pur essendo di natura divina, *
non considerò un tesoro geloso
la sua uguaglianza con Dio;

ma spogliò se stesso, †
assumendo la condizione di servo *
e divenendo simile agli uomini;

apparso in forma umana, umiliò se stesso †
facendosi obbediente fino alla morte *
e alla morte di croce.

Per questo Dio l'ha esaltato *
e gli ha dato il nome
che è al di sopra di ogni altro nome;

perché nel nome di Gesù
ogni ginocchio si pieghi †
nei cieli, sulla terra *
e sotto terra;

e ogni lingua proclami
che Gesù Cristo è il Signore, *
a gloria di Dio Padre. *Gloria.*

3 ant. **Distruggete questo tempio,**
          e in tre giorni lo ricostruirò, dice il Signore;
          e parlava del tempio del suo corpo.

LETTURA BREVE   (1Pt 1,18-21)

Voi sapete che non a prezzo di cose effimere, come argento e oro, foste liberati dalla vostra vuota condotta, ereditata dai padri, ma con il sangue prezioso di Cristo, agnello senza difetti e senza macchia. Egli fu predestinato già prima della fondazione del mondo, ma negli ultimi tempi si è manifestato per voi; e voi per opera sua credete in Dio, che lo ha risuscitato dai morti e gli ha dato gloria, in modo che la vostra fede e la vostra speranza siano rivolte a Dio.

Invece del responsorio breve si dice:

Ant.   Cristo per noi si è fatto obbediente
       sino alla morte, e alla morte in croce.
       Per questo Dio lo ha innalzato,
       e gli ha dato un nome sopra ogni altro nome.

CANTICO DELLA BEATA VERGINE (cf. p. 223)

Ant. al Magn. Ora è glorificato il Figlio dell'uomo; Dio è glorificato in lui, e presto lo accoglierà nella gloria.

INTERCESSIONI

Adoriamo e benediciamo il nostro Redentore che patì, morì per noi e fu sepolto per risorgere a vita immortale. Pieni di riconoscenza e di amore, rivolgiamo al Cristo la nostra preghiera:
Abbi pietà di noi, Signore.

Signore Gesù, che dal tuo fianco squarciato dalla lancia hai fatto scaturire la tua Chiesa, sacramento universale di salvezza,

— per la tua morte, sepoltura e risurrezione rendi sempre pura e santa la tua mistica sposa.

Signore Gesù, che ti sei ricordato di coloro che avevano dimenticato le tue promesse di risurrezione,

— ricordati di coloro che ignorano il vangelo e vivono senza speranza.

Agnello di Dio, nostra Pasqua, immolato per la salvezza del mondo,

— attira a te l'umanità intera.

Dio onnipotente, che racchiudi l'universo nella tua mano e ti sei lasciato rinchiudere nel sepolcro,

— riscattaci dalle potenze del male e donaci l'esperienza liberatrice della tua risurrezione.

Cristo, Figlio del Dio vivo, che in croce hai aperto il paradiso al buon ladrone, associa a te nella gloria della risurrezione i defunti.

— Come li hai resi simili a te nella morte e nella sepoltura, fa' che rivivano con te nella beatitudine eterna.

Padre nostro.

ORAZIONE

O Dio eterno e onnipotente, che ci concedi di celebrare il mistero del Figlio tuo Unigenito disceso nelle viscere della terra, fa' che, sepolti con lui nel battesimo, risorgiamo con lui nella gloria della risurrezione. Egli è Dio e vive e regna...

℞. **Amen.**

℣. Il Signore ci benedica, ci preservi da ogni male e ci conduca alla vita eterna.

℞. **Amen.**

DOMENICA DI PASQUA
NELLA RISURREZIONE DEL SIGNORE

La veglia tiene il posto dell'Ufficio delle letture. L'invitatorio si dice prima delle lodi.

Invitatorio

℣. Signore, apri le mie labbra
℟. **e la mia bocca proclami la tua lode.**

Si enuncia e si ripete l'antifona.

Ant.   Il Signore è veramente risorto, alleluia.

Salmo 94 (p. 203)

Lodi mattutine

℣. O Dio, vieni a salvarmi.
℟. **Signore, vieni presto in mio aiuto.**
Gloria al Padre...

Inno

Sfolgora il sole di Pasqua,
risuona il cielo di canti,
esulta di gioia la terra.

Dagli abissi della morte
Cristo ascende vittorioso
insieme agli antichi padri.

Accanto al sepolcro vuoto
invano veglia il custode:
il Signore è risorto.

O Gesù, re immortale,
unisci alla tua vittoria
i rinati nel battesimo.

Irradia sulla tua Chiesa,
pegno d'amore e di pace,
la luce della tua Pasqua.

Sia gloria e onore a Cristo,
al Padre e al Santo Spirito
ora e nei secoli eterni. Amen.

1 ant. **Cristo risorto ha illuminato il suo popolo,**
redento dal suo sangue, alleluia.

SALMO 62,2-9   L'anima assetata del Signore

La Chiesa ha sete del suo Salvatore, bramando di dissetarsi
alla fonte dell'acqua viva che zampilla per la vita eterna (cf.
Cassiodoro).

O Dio, tu sei il mio Dio, all'aurora ti cerco, *
di te ha sete l'anima mia,
a te anela la mia carne, *
come terra deserta, arida, senz'acqua.

Così nel santuario ti ho cercato, *
per contemplare la tua potenza e la tua gloria.
Poiché la tua grazia vale più della vita, *
le mie labbra diranno la tua lode.

Così ti benedirò finché io viva, *
nel tuo nome alzerò le mie mani.
Mi sazierò come a lauto convito, *
e con voci di gioia ti loderà la mia bocca.

Nel mio giaciglio di te mi ricordo *
penso a te nelle veglie notturne,
tu sei stato il mio aiuto; *
esulto di gioia all'ombra delle tue ali.

A te si stringe *
l'anima mia.
La forza della tua destra *
mi sostiene.   *Gloria.*

1 ant. Cristo risorto ha illuminato il suo popolo,
         redento dal suo sangue, alleluia.

2 ant. Il nostro Redentore è risorto dai morti:
         cantiamo inni al Signore nostro Dio, alleluia.

CANTICO   Ogni creatura lodi il Signore (Dn 3,57-88.56)

Lodate il nostro Dio, voi tutti, suoi servi (Ap 19,5).

Benedite, opere tutte del Signore, il Signore, *
lodatelo ed esaltatelo nei secoli.
Benedite, angeli del Signore, il Signore, *
benedite, cieli, il Signore.

Benedite, acque tutte, che siete sopra i cieli,
   il Signore, *
benedite, potenze tutte del Signore, il Signore.
Benedite, sole e luna, il Signore, *
benedite, stelle del cielo, il Signore.

Benedite, piogge e rugiade, il Signore, *
benedite, o venti tutti, il Signore.
Benedite, fuoco e calore, il Signore, *
benedite, freddo e caldo, il Signore.

Benedite, rugiada e brina, il Signore, *
benedite, gelo e freddo, il Signore.
Benedite, ghiacci e nevi, il Signore, *
benedite, notti e giorni, il Signore.

Benedite, luce e tenebre, il Signore, *
benedite, folgori e nubi, il Signore.
Benedica la terra il Signore, *
lo lodi e lo esalti nei secoli.

Benedite, monti e colline, il Signore, *
benedite, creature tutte che germinate sulla terra,
   il Signore.
Benedite, sorgenti, il Signore, *
benedite, mari e fiumi, il Signore.

Benedite, mostri marini
e quanto si muove nell'acqua, il Signore, *
benedite, uccelli tutti dell'aria, il Signore.
Benedite, animali tutti, selvaggi e domestici,
   il Signore, *
benedite, figli dell'uomo, il Signore.

Benedica Israele il Signore, *
lo lodi e lo esalti nei secoli.
Benedite, sacerdoti del Signore, il Signore, *
benedite, o servi del Signore, il Signore.

Benedite, spiriti e anime dei giusti, il Signore, *
benedite, pii e umili di cuore, il Signore.
Benedite, Anania, Azaria e Misaele, il Signore, *
lodatelo ed esaltatelo nei secoli.

Benediciamo il Padre e il Figlio
con lo Spirito Santo,*
lodiamolo ed esaltiamolo nei secoli.
Benedetto sei tu, Signore,
nel firmamento del cielo, *
degno di lode e di gloria nei secoli.

2 ant. Il nostro Redentore è risorto dai morti:
         cantiamo inni al Signore nostro Dio, alleluia.

3 ant. Alleluia, il Signore è risorto,
         come aveva predetto, alleluia.

SALMO 149   Festa degli amici di Dio

I figli della Chiesa, i figli del nuovo popolo esultino nel loro re, Cristo (Esichio).

Cantate al Signore un canto nuovo; *
la sua lode nell'assemblea dei fedeli.
Gioisca Israele nel suo Creatore, *
esultino nel loro Re i figli di Sion.

Lodino il suo nome con danze, *
con timpani e cetre gli cantino inni.
Il Signore ama il suo popolo, *
incorona gli umili di vittoria.

Esultino i fedeli nella gloria, *
sorgano lieti dai loro giacigli.
Le lodi di Dio sulla loro bocca *
e la spada a due tagli nelle loro mani,

per compiere la vendetta tra i popoli *
e punire le genti;
per stringere in catene i loro capi, *
i loro nobili in ceppi di ferro;

per eseguire su di essi *
il giudizio già scritto:
questa è la gloria *
per tutti i suoi fedeli.   *Gloria.*

3 ant. Alleluia, il Signore è risorto,
        come aveva predetto, alleluia.

LETTURA BREVE   At 10,40-43

Dio ha risuscitato [Gesù] al terzo giorno e volle che si manifestasse, non a tutto il popolo, ma a testimoni prescelti da Dio, a noi che abbiamo mangiato e bevuto con lui dopo la sua risurrezione dai morti. E ci ha ordinato di annunciare al

popolo e di testimoniare che egli è il giudice dei
vivi e dei morti, costituito da Dio. A lui tutti i
profeti danno questa testimonianza: chiunque
crede in lui riceve il perdono dei peccati per mezzo del suo nome.

Invece del responsorio breve si dice:

Ant. Questo è il giorno, che ha fatto il Signore,
alleluia:
rallegriamoci ed esultiamo, alleluia.

Cantico di Zaccaria (pp. 216-217)

Ant. al Ben. Il mattino di Pasqua, appena sorto il
sole, le donne vennero al sepolcro, alleluia.

Invocazioni

Cristo, autore della vita, fu risuscitato dal Padre
e farà risorgere anche noi con la potenza del
suo Spirito. Uniti nella gioia pasquale acclamiamo:
Cristo, vita nostra, salvaci.

Cristo, luce fulgida, splendente nelle tenebre,
principio e sorgente di vita nuova,
—trasforma questo giorno in un dono di gioia
pasquale.

Signore, che hai percorso la via della passione e
della croce,
—donaci di comunicare alla tua morte redentrice
per condividere la gloria della tua risurrezione.

Figlio di Dio, maestro e fratello nostro, che hai fatto di noi una stirpe eletta, un sacerdozio regale,
—insegnaci ad offrirti in letizia il sacrificio della
lode.

Re della gloria, attendiamo il giorno splendido
    della tua manifestazione,
—quando contempleremo il tuo volto senza veli
    e saremo simili a te.

Padre nostro.

ORAZIONE

O Padre, che in questo giorno, per mezzo del tuo
unico Figlio, hai vinto la morte e ci hai aperto il
passaggio alla vita eterna, concedi a noi, che celebriamo la Pasqua di risurrezione, di essere rinnovati nel tuo Spirito, per rinascere nella luce del
Signore risorto. Egli è Dio, e vive e regna...
℟. **Amen.**

Nel congedare l'assemblea si dice:
℣. Andate in pace, alleluia, alleluia.
℟. **Rendiamo grazie a Dio, alleluia, alleluia.**

Vespri

℣. O Dio, vieni a salvarmi.
℟. **Signore, vieni presto in mio aiuto.**
Gloria al Padre...

INNO

Alla cena dell'Agnello,
avvolti in bianche vesti,
attraversato il Mar Rosso,
cantiamo a Cristo Signore.

Il suo corpo arso d'amore
sulla mensa è pane vivo;
il suo sangue sull'altare
calice del nuovo patto.

In questo vespro mirabile
tornan gli antichi prodigi:
un braccio potente ci salva
dall'angelo distruttore.

Mite agnello immolato,
Cristo è la nostra Pasqua;
il suo corpo adorabile
è il vero pane azzimo.

Irradia sulla tua Chiesa
la gioia pasquale, o Signore;
unisci alla tua vittoria
i rinati nel battesimo.

Sia lode e onore a Cristo,
vincitore della morte,
al Padre e al Santo Spirito
ora e nei secoli eterni. Amen.

1 ant. **Maria Maddalena e l'altra Maria
vanno alla tomba,
per onorare il corpo sepolto,
ma non trovano il Signore, alleluia.**

SALMO 109,1-5.7
Lode a te, Gesù Cristo, re di giustizia e di pace

*Tu hai compassione di tutti, non provi disgusto per nessuna
delle cose che hai creato, Signore, amante della vita* (Sap
11,23-24.26).

Oracolo del Signore al mio Signore: *
«Siedi alla mia destra,
finché io ponga i tuoi nemici *
a sgabello dei tuoi piedi».

Lo scettro del tuo potere
stende il Signore da Sion: *
«Domina in mezzo ai tuoi nemici.

A te il principato nel giorno della tua potenza *
tra santi splendori;
dal seno dell'aurora, *
come rugiada, io ti ho generato».

Il Signore ha giurato e non si pente: *
«Tu sei sacerdote per sempre
al modo di Melchisedek».

Il Signore è alla tua destra, *
annienterà i re nel giorno della sua ira.
Lungo il cammino si disseta al torrente *
e solleva alta la testa.   *Gloria.*

1 ant. Maria Maddalena e l'altra Maria
         vanno alla tomba,
         per onorare il corpo sepolto,
         ma non trovano il Signore, alleluia.

2 ant. Venite, vedete
         dove era deposto il Signore, alleluia.

SALMO 113 A   Meraviglie dell'esodo dall'Egitto

*Quanti avete rinunciato al mondo del male, avete compiuto
anche voi il vostro esodo* (cf. sant'Agostino).

Quando Israele uscì dall'Egitto, *
la casa di Giacobbe da un popolo barbaro,
Giuda divenne il suo santuario, *
Israele il suo dominio.

Il mare vide e si ritrasse, *
il Giordano si volse indietro,
i monti saltellarono come arieti, *
le colline come agnelli di un gregge.

Che hai tu, mare, per fuggire, *
e tu, Giordano, perché torni indietro?
Perché voi monti saltellate come arieti *
e voi colline come agnelli di un gregge?

Trema, o terra, davanti al Signore, *
davanti al Dio di Giacobbe,
che muta la rupe in un lago, *
la roccia in sorgenti d'acqua.   *Gloria.*

2 ant. Venite, vedete
        dove era deposto il Signore, alleluia.

3 ant. Dice il Signore: Non temete;
        annunciate ai miei fratelli
        di tornare in Galilea:
        là mi vedranno, alleluia.

*Quando il seguente cantico si canta, l'Alleluia si può
ripetere anche più volte ogni due o quattro stichi.*

CANTICO   Le nozze dell'Agnello   (Cf. Ap 19,1-7)

Alleluia
Salvezza, gloria e potenza sono del nostro Dio; *
veri e giusti sono i suoi giudizi.

Alleluia
Lodate il nostro Dio, voi tutti suoi servi, *
voi che lo temete, piccoli e grandi.

Alleluia
Ha preso possesso del suo regno il Signore, *
il nostro Dio, l'Onnipotente.

Alleluia
Rallegriamoci ed esultiamo, *
rendiamo a lui gloria.

Alleluia
Son giunte le nozze dell'Agnello; *
la sua sposa è pronta. *Gloria.*

3 ant. Dice il Signore: Non temete;
annunciate ai miei fratelli
di tornare in Galilea:
là mi vedranno, alleluia.

LETTURA BREVE   Eb 10,12-14

Cristo, avendo offerto un solo sacrificio per i peccati, si è assiso per sempre alla destra di Dio,
aspettando ormai che i suoi nemici vengano posti
a sgabello dei suoi piedi. Infatti, con un'unica offerta egli ha reso perfetti per sempre quelli che
vengono santificati.

Invece del responsorio breve si dice:

Ant. Questo è il giorno, che ha fatto il Signore,
alleluia:
rallegriamoci ed esultiamo, alleluia.

CANTICO DELLA BEATA VERGINE (cf. p. 223)

Ant. al Magn. La sera di Pasqua, a porte chiuse,
apparve Gesù ai discepoli riuniti e disse loro:
Pace a voi, alleluia.

INTERCESSIONI

Cristo è sempre vivo per intercedere a nostro favore. Tutta la Chiesa lo acclami e lo invochi:
Re glorioso, ascolta la nostra voce.

Luce e salvezza di tutte le genti,
—manda il tuo Spirito su coloro che celebrano
la tua risurrezione.

Il popolo ebraico riconosca in te il Messia atteso
   e sperato,
—tutta la terra sia piena della tua gloria.

Mantienici nella comunione dei santi durante il
   pellegrinaggio terreno,
—donaci di perseverare nella fede fino al giorno
   della tua venuta.

Tu che hai vinto il peccato e la morte,
—fa' che viviamo sempre per te.

Tu che dall'umiliazione della croce fosti innalzato alla destra del Padre,
—accogli i nostri morti nella gloria del tuo regno.

Padre nostro.

ORAZIONE

O Padre, che in questo giorno, per mezzo del tuo
unico Figlio, hai vinto la morte e ci hai aperto il
passaggio alla vita eterna, concedi a noi, che celebriamo la Pasqua di risurrezione, di essere rinnovati nel tuo Spirito, per rinascere nella luce del
Signore risorto. Egli è Dio, e vive e regna...

℟. **Amen.**

℣. Il Signore ci benedica, ci preservi da ogni male
   e ci conduca alla vita eterna.

℟. **Amen.**

Nel congedare l'assemblea si dice:

℣. Andate in pace, alleluia, alleluia.

℟. **Rendiamo grazie a Dio, alleluia, alleluia.**

Fine del triduo pasquale.

APPENDICE

CANTI IN LATINO
E MEDITAZIONI

CANTI IN LATINO

PUERI HEBRÆÓRUM

Púeri Hebræórum,
portántes ramos olivárum,
obviavérunt Dómino,
clamántes et dicéntes:
«Hosanna in excélsis».

UBI CARITAS

℟. Ubi cáritas et ámor, Deus ibi est.

1. Congregávit nos in unum Christi ámor.
   Exsultémus et in ipso iucundémur.
   Timeámus et amémus Deum vivum.
   Et ex corde diligámus nos sincero.

2. Símul ergo cum in unum congregámur.
   Ne nos mente dividámur, caveámus.
   Céssent iúrgia malígna, cessent lites.
   Et in médio nostri sit Christus Deus.

3. Símul quoque cum beátis videámus.
   Gloriánter vultum tuum, Christe Deus:
   Gáudium, quod est imménsum atque probum,
   Sǽcula per infiníta sæculórum. Amen.

PANGE LINGUA

1. Pange, lingua, gloriósi
   córporis mystérium,
   sanguinísque pretiósi,
   quem in mundi prétium

fructus ventris generósi
Rex effúdit géntium.

2. Nobis datus, nobis natus
ex intácta Vírgine,
et in mundo conversátus,
sparso verbi sémine,
sui moras incolátus
miro clausit órdine.

3. In suprémæ nocte cenæ
recúmbens cum frátribus,
observáta lege plene
cibis in legálibus,
cibum turbæ duodénæ
se dat suis mánibus.

4. Verbum caro, panem verum
verbo carnem éfficit,
fitque sanguis Christi merum,
et, si sensus déficit,
ad firmándum cor sincérum
sola fides súfficit.

5. Tantum ergo sacraméntum
venerémur cérnui,
et antíquum documéntum
novo cedat rítui;
præstet fides suppléméntum
sénsuum deféctui.

6. Genitóri Genitóque
laus et iubilátio,
salus, honor, virtus quoque
sit et benedíctio;
procedénti ab utróque
compar sit laudátio. Amen.

VEXILLA REGIS

1. Vexílla regis pródeunt,
   fulget crucis mystérium,
   quo carne carnis cónditor
   suspénsus est patíbulo.

2. Quo, vulnerátus ínsuper
   mucróne diro lánceæ,
   ut nos laváret crímine,
   manávit unda et sánguine.

3. Arbor decóra et fúlgida
   ornáta regis púrpura,
   elécta digno stípite
   tam sancta membra tángere!

4. Beáta, cuius bráchiis
   prétium pepéndit sǽculi;
   statéra facta est córporis
   prædam tulítque tártari.

5. Salve, ara, salve, víctima,
   de passiónis glória,
   qua vita mortem pértulit
   et morte vitam réddidit!

6. O crux, ave, spes única!
   hoc passiónis témpore
   piis adáuge grátiam
   reísque dele crímina.

7. Te, fons salútis, Trínitas,
   colláudet omnis spíritus;
   quos per crucis mystérium
   salvas, fove per sǽcula. Amen.

REGINA CŒLI

Regína cœli lætáre, alleluia.
Quia quem meruísti portáre, alleluia.
Resurréxit, sicut dixit, alleluia.
Ora pro nobis Déum, alleluia.

VÍCTIMÆ PASCHÁLI LAUDES

Víctimæ pascháli laudes
ímmolent christiáni.
Agnus redémit oves:
Christus ínnocens Patri
reconciliávit peccatóres.

Mors et vita duéllo
conflixére mirándo:
dux vitæ mórtuus
regnat vivus.

Dic nobis, María,
quid vidísti in via?
Sepúlchrum Christi vivéntis:
et glóriam vidi resurgéntis.

Angélicos testes,
sudárium et vestes.
Surréxit Christus spes mea:
præcédet suos in Galilæam.

Scimus Christum surrexísse
a mórtuis vere:
tu nobis, victor Rex,
miserére.

MEDITAZIONI
PER LA SETTIMANA SANTA

LA SOFFERENZA È COME UNA SEMENTE

Maurice Blondel (*L'Action*)

La misura del cuore dell'uomo si ha dal modo in cui egli accetta la sofferenza. La sofferenza è, infatti, in lui l'impronta di un altro diverso da lui. Perfino quando essa esce da noi per entrare, con il suo pungiglione penetrante, nella coscienza, ciò avviene sempre nonostante il desiderio spontaneo e lo slancio primitivo della volontà. Per quanto possiamo in anticipo essere rassegnati nell'offrirci ai suoi colpi, per quanto possiamo essere invaghiti del suo fascino austero e vivificante, essa, anche se prevista, rimane pur sempre un'estranea e un'importuna.

La sofferenza è sempre diversa da quella che ci aspettavamo, e al suo attacco, anche colui che l'affronta, che la desidera e la ama, non può nel medesimo tempo trattenersi dall'odiarla. Essa uccide in noi qualche cosa per sostituirla con un'altra che non ci appartiene. Ecco il motivo per cui essa ci svela lo scandalo della nostra libertà e della nostra ragione: noi non siamo ciò che vogliamo essere. Per volere tutto ciò che siamo, tutto ciò che dobbiamo essere, bisogna che comprendiamo, che accettiamo la lezione e il servizio.

La sofferenza, dunque, agisce in noi come una semente: con essa, qualche cosa entra in noi, senza di noi, malgrado noi. Accettiamola, dunque, addirittura prima di sapere che cosa in effetti essa sia.

Il seminatore getta il suo grano più prezioso, lo nasconde con la terra, lo dissemina al punto da sembrare che non ne rimanga nulla. Ma è proprio perché la semente viene sparsa, che attecchisce e non è più possibile toglierla via; essa marcisce per divenire feconda.

Il dolore è simile a questa decomposizione, necessaria alla nascita di un'opera più completa. Colui che non ha sofferto per una cosa, né la conosce né la ama. Anche se questo insegnamento può essere riassunto in un'unica parola, richiede tuttavia del coraggio per essere capito. Il senso del dolore consiste nel rivelarci quanto sfugge alla conoscenza e alla volontà egoista, nell'indicarci la via dell'amore effettivo, distaccandoci da noi stessi per darci agli altri.

Il dolore, infatti, non opera in noi il suo benefico effetto senza il nostro concorso attivo: è una prova in quanto costringe le segrete inclinazioni della volontà a rendersi manifeste. Esso guasta, inacidisce, indurisce coloro che non riesce a intenerire e che non sa per nulla migliorare. Rompendo l'equilibrio della vita indifferente, il dolore ci impone di optare tra quel sentimento personale che ci porta al ripiegamento su noi stessi escludendo con violenza ogni intrusione, e quella bontà che si apre ai germi di rinnovamento di cui le prove della vita sono causa diretta.

Ma la sofferenza non è soltanto una prova; essa è anche una testimonianza d'amore e un rinnovamento della vita interiore, come un bagno che ringiovanisce per l'azione. Essa ci impedisce di assuefarci a questo mondo e ci fa sentire in esso come sommersi in un malessere incurabile. Che cosa significa, in effetti, assuefazione, se non il raggiungimento di un equilibrio con l'ambiente limitato in cui viviamo al di fuori di noi stessi? È indubbio che, nella calma di una vita mediocre o nel raccoglimento della meditazione, sembra che la vita riesca spesso a trovare un suo adattamento; ma di fronte a un dolore reale ogni teoria risulta vana o assurda.

La sofferenza: ecco veramente il nuovo, l'inspiegato, l'ignoto, l'infinito che attraversa la vita come una spada rivelatrice.

PRENDERE LA NOSTRA CROCE

Chiara Lubich (*Meditazioni*)

«Prenda la sua croce» (Mt 16,24). Strane e uniche queste parole. E anche queste, come le altre parole di Gesù, hanno qualcosa di quella luce che il mondo non conosce. Sono così luminose che gli occhi spenti degli uomini, e anche dei cristiani languidi, restano abbagliati e quindi accecati.

Forse nessuna cosa è più enigmatica della croce, più difficile a capire; non penetra nella testa e nel cuore degli uomini. Non entra perché non è compresa, perché siamo spesso diventati cristiani di nome, appena battezzati, forse praticanti, ma immensamente lontani da come ci vorrebbe Gesù.

Si sente parlare della croce a Quaresima, si bacia il venerdì santo, si appende nelle aule. Essa sigilla col suo segno alcune nostre azioni; ma non è capita. E forse tutto l'errore sta qui: che nel mondo non è capito l'amore.

Amore è la parola più bella, ma la più deformata, la più deturpata. È l'essenza di Dio, è la vita dei figli di Dio, è il respiro del cristiano, ed è diventata patrimonio, monopolio del mondo; è sulle labbra di quelli che non avrebbero diritto di nominarla.

Certo, nel mondo, non tutto l'amore è così: c'è ancora il sentimento materno, per esempio, che nobilita – perché misto al dolore – l'amore: c'è l'amore fraterno, l'amore nuziale, l'amore filiale, buono, sano: orma, magari inconscia, dell'amore del Padre creatore del tutto. Ma quello che non è capito è l'amore per eccellenza: è intendere che Dio, che ci ha fatti, è sceso fra noi come uomo fra gli uomini, è vissuto con noi, è rimasto con noi e s'è lasciato inchiodare sulla croce per noi: per salvarci. È troppo alto, troppo bello, troppo divino, troppo poco umano, troppo sanguinoso, doloroso, acuto per esser capito.

Forse attraverso l'amore materno qualcosa s'intende, perché l'amore di una madre non è solo carezze, baci; è soprattutto sacrificio.

Così Gesù: l'amore l'ha spinto alla croce che da molti è ritenuta pazzia.

Ma solo quella follia ha salvato l'umanità, ha plasmato i santi. I santi infatti sono uomini capaci di capire la croce. Uomini che, seguendo Gesù, l'Uomo-Dio, hanno raccolto la croce di ogni giorno come la cosa più preziosa della terra, l'hanno a volte brandita come un'arma diventando soldati di Dio; l'hanno amata tutta la loro vita e hanno conosciuto ed esperimentato che la croce è la chiave, l'unica chiave che apre un tesoro, il tesoro. Apre piano piano le anime alla comunione con Dio...

La croce è il mezzo necessario per cui il divino penetra nell'umano e l'uomo partecipa con più pienezza alla vita di Dio, elevandosi dal regno di questo mondo al regno dei cieli.

Ma occorre prendere la propria croce..., svegliarsi al mattino in attesa di essa, sapendo che solo per suo mezzo arrivano a noi quei doni che il mondo non conosce, quella pace, quel gaudio, quella conoscenza di cose celesti, ignote ai più. La croce... cosa tanto comune. Così fedele, che non manca all'appuntamento di nessun giorno. Basterebbe raccoglierla per farsi santi. La croce, emblema del cristiano, che il mondo non vuole perché crede, fuggendola, di fuggire al dolore, e non sa che essa spalanca l'anima di chi l'ha capita sul regno della luce e dell'amore: quell'amore che il mondo tanto cerca, ma non ha.

LA GRANDE OMBRA DELLA CROCE
Henri de Lubac (*Catholicisme*)

Tutto il mistero di Cristo è un mistero di risurrezione, ma è anche un mistero di morte. Uno non esiste senza l'altro, e una medesima parola li esprime: la Pasqua.

Pasqua è passaggio: trasformazione di tutto l'essere, separazione totale da se stessi, a cui nessuno può illudersi di sfuggire; negazione di tutti i valori naturali in quanto naturali, per raggiungere, attraverso la morte, la vera vita in Cristo.

Per quanto la visione d'unità che ispira e orienta l'attività dell'uomo sia autentica e pura, per divenire realtà essa deve dunque prima di tutto estinguersi. La grande ombra della croce deve ricoprirla. L'umanità si riunirà soltanto rinunciando a prendere se stessa come fine.

L'uomo, infatti, non vuole e non ama forse l'umanità con il medesimo moto naturale con cui vuole e ama se stesso? Ora, Dio è per essenza colui che non ammette divisioni; colui che occorre amare esclusivamente. In definitiva si potrà amare l'umanità per se stessa, e non di un amore egoistico, soltanto amandola in Dio amato con esclusività.

Questa verità però non apparirà evidente in modo concreto, se si sopprime la realtà del sacrificio. L'umanesimo non è di sua natura cristiano. L'umanesimo cristiano deve essere un umanesimo convertito. Non si passa immediatamente da un amore naturale a un amore soprannaturale. Bisogna perdersi per trovarsi. Dialettica spirituale il cui rigore si impone all'umanità come all'individuo, cioè al mio amore per l'uomo e per gli uomini come al mio amore per me stesso. Legge dell'esodo, legge dell'estasi. Se nessuno deve evadere dall'umanità, l'umanità intera deve morire a se stessa in ciascuno dei suoi membri per vivere, trasfigurata in Dio. Non c'è fraternità definitiva se non in una comune adorazione. «La gloria di Dio è l'uomo vivente», dice sant'Ireneo. Ma l'uomo, nella sola società totale che possa esistere, accede alla vita soltanto attraverso la «gloria di Dio». Questa è la Pasqua universale, che prepara la città di Dio.

In Cristo morente sulla croce, l'umanità, che egli portava tutta in sé, rinuncia a se stessa e muore. Ma questo mistero è ancora più profondo. Colui che porta in sé tutti gli uomini è abbandonato da tutti. L'Uomo universale muore solo. Pienezza dell'umiliazione e perfezione del sacrificio!

Era necessario questo abbandono – fino all'abbandono del Padre – per operare la riunione. Mistero di solitudine e mistero di laceramento, solo segno efficace della riunione e dell'unità. Spada sacra che giunge fino a trapassare l'intimità dello spirito, ma per farvi penetrare la vita universale: «Tu che sei solo tra i soli e sei tutto in tutti!».

«Dal legno della croce, conclude sant'Ireneo, l'opera del Verbo di Dio è divenuta manifesta a tutti: le sue mani si sono tese per abbracciare tutti gli uomini. Due mani tese, perché ci sono due popoli dispersi su tutta la terra. Una sola testa al centro, perché c'è un solo Dio al di sopra di tutti, in mezzo a tutti e in tutti».

LA PIÙ GRANDE PROVA D'AMORE DI MARIA

René Voillaume
(*Demeures de Dieu: l'Église, la Vierge*)

Nell'ora della croce, il vangelo segnala la presenza di Maria. È appena un breve accenno, ma basta per farci capire quale abisso nasconda. Era impossibile che a quel momento la Vergine non sapesse tutto di suo Figlio. In quel momento essa dava tutta la misura della sua fede. Il mistero della Vergine, durante la passione, sta appunto in quel suo essere la più forte di tutti, più forte degli apostoli che pure erano uomini. Non mi piacciono molto le immagini della passione, che rappresentano la Vergine annientata, singhiozzante, come una donna affranta dal dolore. Niente, nel vangelo, ci autorizza a pensare così: anzi ci si dice che ella era in piedi. Grazie al suo immacolato concepimento, Maria aveva corrisposto in modo

meraviglioso, un giorno dopo l'altro, all'opera
compiuta da Dio nella sua anima, sicché il Signore non aveva bisogno di fare cose straordinarie
perché la fede e l'amore di sua madre raggiunges-
sero proporzioni che sono al di sopra della nostra
portata.

La fede della Madonna è arrivata al suo culmine
al momento della passione; è proprio allora che si
verifica un altro mistero: poiché il Figlio sta per
morire, termina anche la missione della Vergine,
come madre di Gesù in terra. Allora, che cosa
può dare ancora a suo Figlio? Non ha più niente
da dare a suo Figlio. Ma è accaduto in lei un fatto
immenso, perché, vedendo il proprio figlio, una
madre non può non sperimentare il massimo della sofferenza, specie se lo vede morire non di
morte naturale, ma giovane e martoriato. Noi
sappiamo benissimo che se la più grande prova
d'amore è di dare la vita per quelli che si amano,
la più grande sofferenza è anche la massima prova d'amore. E Dio l'ha condotta fino a quel punto
perché potesse dare la più grande prova d'amore.
Era troppo intimamente legata a suo Figlio, perché non ci fosse anche un mistero di collaborazione: l'amore infatti spinge ad operare insieme.
Il tipo di «lavoro» che suo Figlio compiva allora
per la redenzione del mondo, le consentiva, per la
prima volta, una collaborazione piena. Maria ha
sperimentato fin nell'intimo dell'essere la sofferenza che era la sofferenza redentrice. E siccome
è certo che essa, a questo punto, conosceva per-
fettamente la missione di suo Figlio, è facile capire il posto unico che occupa nella redenzione delle anime: vi è entrata in piena lucidità di fede,

attraverso un dolore che è l'apice della sofferenza di una madre.

CANTERÒ PER SEMPRE L'AMORE DEL SIGNORE
San Bernardo (*Sermones super Cantica*)

Dove una sicurezza più salda, dove un riposo più tranquillo per la nostra debolezza, se non nelle piaghe del Salvatore? Dimoro là dentro tanto più sicuro, quanto più potente è nei miei riguardi la sua forza salvatrice. Il mondo freme, il corpo mi aggrava, il diavolo tende le sue insidie: io non cado, perché ho posto le mie fondamenta sopra una roccia sicura. Ho peccato gravemente: la mia coscienza ne è turbata, ma non sconvolta, perché mi ricordo delle piaghe del Signore che è stato «trafitto a cagione dei nostri peccati» (Is 53,5). Cosa c'è di così votato alla morte che non possa essere liberato dalla morte di Cristo? Perciò quando penso a un rimedio così potente, così efficace, nessuna malattia – per quanto grave – mi spaventa più. È quindi evidente che si sbagliava colui che disse: «Il mio peccato è troppo grande, per meritare di essere perdonato» (Gn 4,13). È vero però che egli non era un membro di Cristo e i meriti di Cristo non gli appartenevano. Egli non poteva ritenerli come suoi e dire che erano suoi, come può fare un membro rispetto ai beni del suo capo. Io invece, quello che manca a me di mio, me lo prendo con ardire e fiducia dalle viscere del Signore, che lasciano sgorgare la misericordia, e non mancano certo di fenditure, tali da permettere un'effusione abbondante.
Hanno forato le sue mani e i suoi piedi e hanno

aperto il suo costato con la lancia. E attraverso queste aperture, io posso succhiare il miele dalla roccia e l'olio che cola dalla pietra durissima, gustare e vedere cioè come è buono il Signore. Egli pensava pensieri di pace e io non lo sapevo. «Chi infatti ha conosciuto il pensiero del Signore? o chi mai è stato il suo consigliere?» (Rm 11,34).

Ma il chiodo che penetra in lui è divenuto per me una chiave che mi schiude il segreto della volontà del Signore. Come non vederla attraverso queste aperture? I chiodi e le piaghe gridano che veramente, nel Cristo, è Dio che riconcilia il mondo con sé. Il ferro ha trapassato la sua anima e toccato il suo cuore, perché egli ormai sapesse compatire le mie infermità. Il segreto del cuore si manifesta attraverso le ferite del corpo; appare manifesto questo grande sacramento d'infinita bontà, la profonda e «misericordiosa tenerezza del nostro Dio, per cui una luce ci ha visitato dall'alto» (Lc 1,78). E come questa tenerezza potrebbe non apparire attraverso le sue ferite? C'è qualcosa, più delle tue piaghe in cui appaia con maggior evidenza che «tu, Signore, sei dolce e clemente e ricco di misericordia»? (Sal 85,5). Nessuno infatti ha amore più grande di colui che dà la sua vita per dei destinati e condannati alla morte.

La misericordia del Signore è dunque tutto il mio merito. E io non sarò privo di meriti fin tanto che egli non sarà privo di misericordia. Perché se la misericordia del Signore è grande, grandi saranno anche i miei meriti. E se fossi consapevole di aver commesso molti peccati? Ebbene: «Dove si moltiplicò il peccato, ha sovrabbondato la grazia» (Rm 5,20). E se «l'amore del Signore è da sempre e per sempre» (Sal 102,17), anch'io «canterò per sempre l'amore del Signore» (Sal 88,1).

I CRISTIANI PARTECIPANO ALLA MORTE E ALLA RISURREZIONE DI CRISTO
San Leone Magno (*Sermo XII: De passione Domini*)

La natura umana è stata assunta dal Figlio di Dio con una unione così perfetta, che non soltanto in quest'uomo che è «il primogenito di ogni creatura» (Col 1,15), ma anche in tutti i suoi santi, Cristo è uno e identico. E come il capo non può essere separato dalle membra, così le membra non possono venire divise dal capo. Tutto quello che il Figlio di Dio ha fatto e insegnato per operare la riconciliazione del mondo, lo conosciamo dalla storia degli avvenimenti passati, e lo sperimentiamo anche nella potenza delle presenti azioni sacre. Nato da una madre vergine per opera dello Spirito Santo, egli feconda la sua chiesa immacolata effondendo su di lei quello stesso Spirito, perché possa venire alla luce, mediante il parto del battesimo, l'immensa moltitudine dei figli di Dio. Di essi la Scrittura dice che «non da sangue, né da volontà di carne, né da volontà d'uomo, ma da Dio sono nati» (Gv 1,13).

In Cristo è benedetta, nell'adozione di tutto il mondo, la discendenza di Abramo e il patriarca diviene padre di popoli, ora che gli nascono figli, non dalla carne, ma dalla sua fede nella promessa. È Cristo che, senza eccettuare nessuna razza, forma un unico gregge santo di tutte le nazioni che sono sotto il cielo. Ogni giorno adempie così ciò che aveva promesso: «Ho altre pecore che non sono di questo ovile, anche quelle devo condurre, e ascolteranno la mia voce e ci sarà un solo gregge e un solo pastore» (Gv 10,16). Sebbene abbia detto soltanto a Pietro: «Pasci le mie pecore» (Gv 21,17), tuttavia l'opera apostolica di tutti i pastori è sorretta unicamente dal Signore; egli nutre con la gioia dei suoi freschi pascoli coloro che si accostano a lui, che è la pietra. Per questo ci sono tante pecore che, fortificate dalla sovrabbondanza del suo amore, non esitano a morire per il loro pastore, come il buon pastore si è degnato di dare la vita per le sue pecore. Insieme a lui soffre non solo la gloriosa fortezza dei martiri, ma anche la fede di coloro che rinascono nel travaglio della rigenerazione. Quando infatti si rinuncia al diavolo e si crede in Dio, quando il vecchio uomo passa a novità di vita, quando si depone l'immagine dell'uomo terreno per rivestire l'immagine celeste, si compie una specie di morte e una specie di risurrezione. Ricevuto da Cristo e ricevendo Cristo, il cristiano dopo il battesimo non è più quello di prima: il suo corpo diventa carne del Crocifisso...

Per questo la Pasqua del Signore è celebrata secondo la legge «con gli azzimi della purezza e della verità» (1Cor 5,8): infatti, rigettato il fermento dell'antica malizia, la nuova creatura si inebria e si nutre del Signore stesso. La partecipazione al corpo e al sangue di Cristo non è ordinata ad altro che a trasformarci in ciò che prendiamo come cibo, rendendoci così portatori integrali, nel nostro spirito e nella nostra carne, di colui nel quale e col quale siamo morti, sepolti e risuscitati.

CRISTO È RISORTO
PER LIBERARCI DALLA MORTE
Sant'Ambrogio (*De excessu fratris*)

Perché Cristo sarebbe morto, se non avesse avuto un motivo per risorgere? Dio infatti non poteva morire, la sapienza non poteva morire. E poiché ciò che non era morto non poteva risuscitare, egli ha assunto una carne, capace – secondo la sua natura – di subire la morte. E allora veramente quello che era morto poté risorgere. La risurrezione dunque non poteva avvenire se non attraverso un uomo, perché «se per un uomo venne la morte, per un uomo c'è anche la risurrezione dei morti» (1Cor 15,21).

L'uomo è risuscitato perché è l'uomo che è morto. È risuscitato, ma chi lo fa risorgere è Dio. Prima era uomo secondo la carne, ora è Dio in tutto: adesso infatti non conosciamo più Cristo secondo la carne (cf. 2Cor 5,16), ma siamo in possesso della grazia della sua incarnazione, e lo riconosciamo come «primizia di quelli che si sono addormentati» (1Cor 15,20) e come «primogenito dei morti» (Col 1,18). Le primizie sono esattamente della stessa specie e della stessa natura dei frutti che verranno: sono i primi doni presentati a Dio in vista di un raccolto più abbondante, sono un'offerta sacra che contiene in sé tutto il resto, sono una sorta di sacrificio della natura rinnovata. Cristo è dunque «la primizia di quelli che si sono addormentati». Ma lo è soltanto di quelli che si sono addormentati in lui, di quelli cioè che, quasi esenti dalla morte, sono immersi in un sonno tranquillo, o anche di tutti i morti?

La Scrittura ci risponde: «Come tutti muoiono in Adamo, così tutti vivranno di nuovo in Cristo» (1Cor 15,22). Mentre in Adamo sono le primizie della morte, le primizie della risurrezione sono in Cristo...

Se noi non risorgiamo, «Cristo è morto invano» (Gal 2,21), e «Cristo non è risuscitato» (1Cor 15, 13). E se non è risuscitato per noi, non è risorto affatto, dal momento che non aveva nessun motivo di risorgere per se stesso. In lui è risuscitato il mondo, in lui è risuscitato il cielo, in lui la terra è risuscitata: ci sarà infatti «un cielo nuovo e una nuova terra» (Ap 21,1). Ma per lui, per lui che non poteva essere trattenuto dai legami della morte, che bisogno c'era della risurrezione? E infatti, benché morto in quanto uomo, egli si è dimostrato libero perfino nell'inferno. Volete comprendere quanto fosse libero? «Sono diventato come un uomo senza più soccorso, libero tra i morti» (Sal 87,5-6 Vulg.). Tanto libero da poter risuscitare se stesso, come dice la Scrittura: «Distruggete questo tempio, e in tre giorni lo ricostruirò» (Gv 2,19). Tanto libero, che è disceso tra i morti per redimere gli altri.

È divenuto uomo, non però in apparenza, ma secondo una forma reale: «Egli è uomo, e chi lo conoscerà?» (Ger 17,9; LXX). «Infatti è divenuto simile agli uomini ed essendosi comportato come un uomo, si è umiliato ancora di più, facendosi obbediente fino alla morte» (Fil 2,7-8), perché, grazie alla sua obbedienza, noi potessimo contemplare la sua gloria, «gloria come di unigenito del Padre», come dice san Giovanni (Gv 1,14). La Scrittura ci presenta dunque questa costante testimonianza: in Cristo coesistono veramente la gloria dell'unigenito ed una natura di uomo perfetto.

IL CRISTO GLORIOSO, CONTEMPORANEO DI TUTTI GLI UOMINI
Lambert Beauduin (*Alleluia*)

L'alleluia è il canto del trionfo e della gioia: questo è infatti il suo primo insegnamento. Dice san Leone: «Noi sappiamo bene che il più importante di tutti i misteri cristiani è il mistero pasquale». Ed è giusto perché la risurrezione ci colloca nel vero centro della vita soprannaturale.

Grazie al suo trionfo, il Cristo glorioso è diventato il contemporaneo di tutte le generazioni: Signore del regno dei viventi, autore della vita. La verità è questa: la pietra angolare, il centro, il tutto della nuova economia di salvezza è Cristo, il Risorto... Nella contemplazione della vita di Gesù, molti preferiscono guardare i fatti dolorosi: così la croce ci appare più spesso circondata da strumenti di tortura che da trofei di vittoria.

Certo, non vogliamo dire neppure lontanamente che si possa ignorare la croce e le sofferenze del nostro Salvatore, ma la croce, senza gli splendori della risurrezione, ci renderebbe i più miserabili tra gli uomini e farebbe del Cristo il più colpevole degli impostori. L'alleluia deve dirci tutto questo.

Ma dall'alleluia riceviamo anche un'altra lezione. La sua parola d'ordine è: «Lodate Dio». Ora, noi dobbiamo essere degli alleluia viventi, dalla testa ai piedi; fervidi adoratori del nostro grande Dio: Alleluia! Lodate Dio! Adorazione, ringraziamento, lode, benedizione: tutti questi slanci fondamentali dell'anima religiosa Giovanni li descrive nell'Apocalisse, dicendo che si fondevano tutti in un'unica acclamazione densa di una sconfinata aspirazione religiosa: Alleluia! Lodate Dio (cf. Ap 19,1-6). Dunque la liturgia ha un motivo per metterci continuamente in bocca quest'acclamazione. La Chiesa vuole stabilire le nostre anime in un atteggiamento fondamentale di adorazione. La nostra religione dev'essere prima di tutto teocentrica, tutta rivolta verso Dio come quella di suo Figlio: «Padre nostro, che sei nei cieli».

La pietà tutta ripiegata su se stessa, ossessionata dall'io, la preoccupazione costante riguardo alla nostra povera persona e ai nostri interessi, il culto di un Dio che ha solo il compito di soccorrerci, la pietà egocentrica insomma, non si può dirla colpevole, ma è certamente priva di slancio e di apertura. Dobbiamo radicare saldamente nell'anima una disposizione latreutica fondamentale, fatta di adorazione e di amore: così tutta la vita sarà un cantico di lode a gloria del Padre.

«Lodiamo Dio, alleluia! Diamogli lode, come dice sant'Agostino, col nostro fare e il nostro dire, con i sentimenti e i discorsi, con la parola e con la vita».

INDICE

Finito di stampare nel mese di febbraio 2024
Mediagraf, S.p.A. – Noventa Padovana, Padova